D1622934

WJS CORSO

WJS

Joachim Fest
Die unwissenden Magier

Über Thomas
und Heinrich Mann

CORSO bei Siedler

Für Marcel Reich-Ranicki

ALLES, WAS ÜBER DIE SCHWER ENTWIRRBARE
Beziehung zwischen Heinrich und Thomas Mann gesagt werden kann, verdankt die suggestivsten Formeln ihnen selbst. Sie haben das Bruderverhältnis
romantisiert, pathologisiert und, als es zum Streit
kam, zu prinzipiell entgegengesetzten Positionen
hochgetrieben. Im April 1919 schrieb Thomas Mann
an den Schriftsteller und Theaterkritiker Karl Strek-
ker, der in dem Konflikt nur das Eifersuchtsdrama
zweier unterschiedlich begabter Schriftsteller sehen
wollte, der Gegensatz zu Heinrich scheine ihm »zu
wichtig und symbolisch«, um ihn mit literarischen
Wertfragen zu verknüpfen. Er glaube, fährt er fort,
»an Unterschiede des Temperaments, des Gemüts,
der Moralität, des Welterlebnisses, die zu einer im
Goethe'schen Sinne ›bedeutenden‹ Feindschaft und
repräsentativen Gegensätzlichkeit geführt haben –
auf der Grundlage sehr stark empfundener Brüderlichkeit. Bei mir überwiegt das nordisch-protestan-
tische Element, bei meinem Bruder das romanisch-
katholische. Bei mir ist also mehr Gewissen, bei ihm
mehr aktivistischer Wille. Ich bin ethischer Individualist, er Sozialist – und wie sich der Gegensatz

7

weiter umschreiben und benennen ließe, der sich
im Geistigen, Künstlerischen, Politischen, kurz in
jeder Beziehung offenbart.«[1]

Die beiden in diesem Band vereinigten Essays
versuchen, diesen Gegensatz näher zu bestimmen.
Im Mittelpunkt der Auseinandersetzung stand, lange
Zeit jedenfalls, ein Unterschied in der Auffassung
von der Haltung des Schriftstellers gegenüber der
Wirklichkeit, insonderheit gegenüber dem Politischen, wenn auch eng verwoben mit persönlichen, literarischen und philosophischen Uneinigkeiten. Die
Frage ist, ob über alle »Feindschaft«, allen »Haß«
hinweg, von denen Thomas Mann gesprochen hat, sie
zuletzt nicht doch Brüder auch im übertragenen
Sinne blieben. Sie waren sicherlich Repräsentanten,
aber vielleicht doch, bei allen Unterschieden, der
gleichen Sache: jener tief apolitischen intellektuellen
Tradition ihres Landes, der sich der eine früher, der
andere mit einiger zeitlicher Verzögerung zu wider-
setzen schien.

Diese Überlegung macht den über fast zwanzig
Jahre erbittert ausgetragenen Konflikt indes keineswegs zum bloßen Scheingefecht. Er war unvermeid-
lich. Nur führten sie ihn weniger, als ihnen je bewußt war, um grundsätzlich entgegengesetzte politische Auffassungen. Weit eher ging es bei dem von
beiden Seiten angefachten und schließlich ins Ideo-
logische ausgeweiteten Konflikt um einen Ablösungs-
vorgang nach zu lange dauernder, einträchtiger
Nähe. Wer die frühen Arbeiten des einen und des

anderen vergleicht, wird immer wieder auf verwandte Themen oder Figuren stoßen, den gleichen Erlebnishintergrund, die gleichen Vorbilder, und diese Gemeinsamkeiten haben zwangsläufig zu wechselseitigen Übernahmen und Entlehnungen geführt, die in der beginnenden Auseinandersetzung erhebliches Gewicht besaßen. Vor allem Thomas Mann war es, der dem Bruder vorwarf, ihm Pläne, Motive und sogar einzelne Wortprägungen entwendet zu haben, um sie »in oberflächlicher und grotesker Weise« zu verwerten.[2] Die kleinlich wirkende Beschuldigung verbarg, worum es in Wahrheit ging. Wenn Thomas an anderer Stelle, im Blick auf die frühen, gemeinsam verbrachten Jahre von einem »brüderlichen Welterlebnis« gesprochen hat, so empfand er jetzt zusehends die Notwendigkeit, sich endlich ein eigenes zu verschaffen.

Nicht anders verhielt es sich mit Heinrich. Beide suchten »die Abwehr des Anderen«[3], der so anders nicht war und gerade deshalb die eigene Entwicklung störte und behinderte: »Alles zugleich Verwandtschaft und Affront«, schrieb Thomas Mann in einem Brief vom März 1917 und, wie häufig zu melodramatischer Steigerung neigend, der Streit sei »das schwerste Problem« seines Lebens.[4] Es war eine Art nachgeholter und ins Brüderliche versetzter Pubertätskrise, Entzug und Trennung von der übermächtig das eigene Leben bestimmenden Autorität. Anders als die vorherrschende Auffassung annimmt, besaßen die politischen Meinungsunterschiede dafür keine ursächliche Bedeutung; sie waren nur deren auffälligste Folge. Nach Jahren der persönlichen und literarischen Querelen, der Eifersuchts- und Rivalitätskomplexe öffnete die Übertragung des Konflikts ins Politische beiden Seiten einen Ausweg aus allem subalternen Brudergezänk und erlaubte es, die Auseinandersetzung über die private Sphäre hinaus auf die Höhe eines mit bekennerischer Vehemenz ausgetragenen Prinzipienstreits zu führen. »Was hinter mir liegt, war eine Galeeren-Arbeit«, schrieb Thomas Mann, auf die »Betrachtungen eines Unpolitischen« anspielend, im Januar 1918 in einem Brief an Heinrich. Den Versöhnungsvorschlag des Bruders wies er jedoch ab, da die Arbeit an dem Buch noch nicht abgeschlossen war. »Immerhin«, fuhr er fort, »danke ich ihr das Bewußtsein, daß ich Deiner zelotischen Suada heute weniger hülflos gegenüber stünde, als zu der Zeit, da Du mich bis aufs Blut damit peinigen konntest«. Und gegen Ende heißt es: »Laß die Tragödie unserer Brüderlichkeit sich vollenden.«[5] Die pathetische Wendung offenbarte, daß er entschlossen war, auch um einen hohen Preis sich aus der Hilflosigkeit gegenüber dem Bruder zu befreien und eine eigene Position zu gewinnen. In einem nicht abgeschickten Brief antwortete Heinrich noch einmal, zum letzten Mal, im Ton des Älteren: »Bezieh nicht länger mein Leben u. Handeln auf Dich, es gilt nicht Dir, u. wäre ohne Dich wörtlich dasselbe.«[6]

Als die Brüder vier Jahre später wieder zusammenfanden, war der Ablösungsprozeß des einen vom anderen vollzogen, und offenbar hat das Bewußtsein, inzwischen zu sich selbst gefunden zu haben, Thomas die Versöhnung erst ermöglicht oder doch erleichtert. Nun störte auch nicht mehr, daß sie, als Fürsprecher und Anwälte der gefährdeten Republik, die gleiche Sache vertraten: Heinrich mit advokatorischem, der Wahlheimat Frankreich entliehenem Überschwang, Thomas dagegen auf gleichsam philologische Weise, mit Rückgriffen ins Geistesgeschichtliche, literarisch Versonnene und bei alledem immer ein wenig wie ausgedacht. Alle Besorgnisse angesichts der politischen Dauerkrise des Landes jedoch, alle Bereitschaft zum Beistand haben dem Politikverständnis weder des einen noch des anderen aufgeholfen. Die »Naivität« und »groteske Unkenntnis« der Tatsachen, die Hermann Kesten bei Heinrich Mann festgestellt hat[7], hätte er auch dem Bruder vorhalten können. Die eigentlich politischen Fragen der Macht und ihrer Mechanismen, des Zusammenspiels gesellschaftlicher Gruppen, der Bedeutung ökonomischer und sozialer Interessen, blieben ihnen nach wie vor verschlossen, und vergebens versuchten sie, ihre Fremdheit auf diesem Felde hinter großen Gutartigkeiten zu verbergen. Daher hätte der vorliegende Band auch, den Titel von Thomas Manns Bekenntnisbuch abwandelnd und erweiternd, »Betrachtung zweier Unpolitischer« heißen können.

Heinrich und Thomas Mann entstammten zwar, der Herkunft nach, einem alten Stadtstaat, in dessen demokratisch-freiheitlicher Selbstregierung die eigene Familie eine nicht unbedeutende Rolle gespielt hat. In Wahrheit aber waren sie dieser Welt, wie im Äußerlichen, so auch seelisch entlaufen. Sie dachten und empfanden in einer bürgerlichen Tradition, die ganz an privaten Begriffen, Zwecken, Tugenden orientiert war, Bücher und Träume bildeten ihr eigentliches Element, für das keine Wirklichkeit einen Ausgleich bot. Was man die »öffentlichen Dinge« nannte, war stets die Angelegenheit einiger weniger, die große Mehrheit gerade des gebildeten Bürgertums stand ihnen beziehungslos, nicht selten verlegen gegenüber und stilisierte das eigene Desinteresse als Vorbehalt der Humanität gegen die Politik, der Kultur gegen die Zivilisation, des Gedankens gegen das Leben oder was immer sonst noch an polemisch gemeinten Gegensatzpaaren aus der Verachtung der Realität zu gewinnen war. In jenem intellektuellen Milieu, in dem die Brüder sich in Wahrheit heimisch fühlten, war politische Urteilskraft weithin gleichbedeutend mit sozialem Gewissen und erschöpfte sich darüber hinaus in allgemein moralischen Richtsprüchen oder in den feierlichen Gaukelbildern der Versöhnung von Geist und Macht. Wer die politisch gemeinten Reden, Erklärungen und Aufsätze sowohl Heinrich wie Thomas Manns aus den Weimarer Jahren durchsieht, findet auf nahezu jeder Seite die Belege dafür, und selbst in den erhaltenen Briefen aus der Entscheidungszeit vom Frühjahr 1932 bis zum Februar 1933 sucht man vergeblich nach einem Echo jenes das ganze Land erfüllenden Lärms, der das unüberhörbare Signal der Katastrophe war, die bald schon ihre Welt erfassen und zugrunde richten sollte. Statt dessen Mitteilungen über einen neuen Roman Heinrichs, über Akademiestatuten und eine »Verbindung republikanischer Intellektueller, mit dem Ziel, die kommende zweite Republik geistig zu überwachen«. Bücher und Träume.

Nicht anders verhielt es sich während der Emigration. Die zahlreichen Kommentare zum Tage, die vor allem Heinrich in jenen Jahren verfaßte, aber auch die Briefe der Brüder sind eine einzigartige Sammlung von Fehlurteilen und Wunschbildern, und man muß beispielsweise nur René Schickeles Tagebücher aus der gleichen Zeit lesen, um zu erkennen, daß dessen überlegenes politisches Urteilsvermögen nicht nur eine Sache des kühleren Kopfes, sondern offenbar auch der Herkunft aus anderen Traditionszusammenhängen war. Noch in dem Erinnerungsbuch »Ein Zeitalter wird besichtigt« sieht Heinrich Mann auf jenes Europa, das er liebte wie kaum ein anderer, ganz unpolitisch; sein Blick erfaßte es nur ästhetisch, moralisch und mit melancholischem Kulturstolz; es hatte so großen Stil und war reich gewesen an »galanten Begabungen«, Franz Joseph und Bismarck und die Erfahrungen von Jahrhunderten. »Wenn ich H. M. und T. M.

zusammen politisieren hörte«, schrieb Golo Mann später, in Erinnerung an die Zeit der kalifornischen Emigration, »hatte ich manchmal das gleiche Gefühl: Was reden doch die zwei unwissenden Magier da? Unwissend weil schlecht informiert, weil wirklichkeitsfern. Magier, weil sich andere Wirklichkeiten erträumend oder Lieblingsträume mit Wirklichkeit gleichsetzend, noch mehr, weil mit stark intuitivem Blick begabt«. [8]

Unrettbar fremd im Politischen, wie sie waren, unterschied sie doch eines. Thomas Mann hat die Wendung in die Politik immer als einen Akt der Selbstentfremdung empfunden und sein Engagement als Pflicht aufgefaßt, zu dem die Zeit ihn zwang. »Gleichgültigkeit, ich weiß, das wäre eine Art von Glück«, hat er eine seiner frühen Figuren bekennen lassen. [9] Am Ende, in allem Triumph über Hitlers Untergang, bleibt daher immer auch die Hoffnung unüberhörbar, daß dieser Sieg nicht nur einen Mann, sondern auch den Epochenirrtum von der Vorherrschaft des Politischen über das Private aus der Welt geschafft habe. Noch einmal täuschte er sich. Aber er war noch in dieser Täuschung seinem Bruder näher, als er glauben mochte, und nichts beweist vielleicht eindrucksvoller den künstlichen, in ganz anderen Motiven zu suchenden und zu findenden Charakter der »repräsentativen Gegensätzlichkeit«. Zwar hatte Heinrich die politische Rolle mit der Emphase übernommen, deren er fähig war, ungeduldig erst die Zukunft, dann die

Menschenrechte und zuletzt den Widerstand gegen die Barbarei beschwörend. Doch in seinem Buch über das Zeitalter, auf das er am Ende Rückschau hielt, findet sich ein Porträt Arthur Schnitzlers, geschrieben in Verehrung und nicht ohne einen Anflug neiderfüllter Sehnsucht. »Von den öffentlichen Dingen hielt er nichts«, heißt es da. »Er hätte, was kam und folgte, durchschauen können wie meinesgleichen; er wollte nicht einmal, daß man daran litt«: der »einzige Dichter von Rang und Urteil, der seine Nichtachtung der öffentlichen Dinge für selbstverständlich nahm – und das Gegenteil für Zeitverderb, wenn nicht für eine ungewollte Enthüllung«. [10]

Um den Versuch einer solchen Enthüllung geht es in den beiden vorliegenden Betrachtungen, auch wenn der Begriff etwas allzu spektakulär anmutet angesichts zweier Schriftsteller, deren Werk und gegenseitige Beziehung inzwischen zum Gegenstand einer unübersehbaren Literatur geworden sind. Vielleicht aber liefert die genauere Vergegenwärtigung der Motive, die Heinrich und Thomas Mann zur Politik brachten, sowie die Erörterung der Frage, wie sie deren Ansprüchen gerecht zu werden versuchten, einige Aufschlüsse, die ihr Bild ergänzen und verdeutlichen.

Thomas Mann
Politik als Selbstentfremdung

»Thou com'st in such a questionable shape.«
Hamlet[1]

DIES IST UNSICHERER GRUND. EIN LEBEN UND
ein Werk voller Ironie, der Lust an Doppeldeutigkeit
und würdevoller Mogelei. Fangen wir vorsichtig an.

Die vorherrschende Auffassung geht dahin,
Thomas Manns Verhältnis zur Politik als einen Prozeß zu bezeichnen: die Geschichte einer aus kon-
fusen Anfängen hervorgehenden, nicht ganz frei-
willigen, doch vom Druck der Umstände bewirkten
»Bekehrung« zu politischer Vernunft. Einzuräu-
men wären wiederholte Phasen des Schwankens,
der Rückfälligkeit in den reaktionären Sündenstand
von einst, doch steht am Ende immer wieder der
entschlossene Schritt nach vorn: ein deutscher Bil-
dungsroman im Grunde, vorgeführt am Beispiel
eines der größten Dichter des Landes, Biographie
als Stufengeschichte zu höherer Einsicht. »Einer
erzieht schreibend sich selbst«, hat Heinrich Mann,
ganz in diesem Parabelsinne, den Lebensweg seines
Bruders gedeutet.[2]

Nicht zufällig ist der Entwicklungsroman bei
einem pädagogisch so ernstmeinenden Volk wie dem
deutschen die Erscheinungsform des Romans
schlechthin; und häufiger als offenbar zulässig wirkt

die ihm zugrundeliegende Idee, wonach der Mensch
erst im Ringen mit sich selbst zu Einsicht und Reife
komme, auf die Deutung eines Lebenswegs zurück.
Der Verdacht ist nicht unbegründet, daß Thomas
Mann in seinem Verhältnis zur Politik nicht zuletzt
deshalb zum Paradefall eines deutschen Schriftstellers im ausgehenden bürgerlichen Zeitalter werden
konnte, weil er die vertraute Vorstellung, daß Leben
soviel wie Läuterung sei, beispielhaft zu erfüllen
schien: nach einem entschieden unpolitischen, in
die hochmütigen Spielereien der Kunst verlorenen
Beginn habe er sich, der verbreiteten Auffassung
zufolge, gleich der Mehrzahl seiner schreibenden
Zeitgenossen, von den Euphorien des Ersten Weltkriegs zu einigen verworrenen nationalistischen Bekenntnissen hinreißen lassen, dann aber, von Vernunft und Verantwortungsbewußtsein geleitet, den
früheren Vorstellungen abgeschworen und den Weg
zur Aussöhnung mit Republik und Demokratie ein-
geschlagen, sogar »zur Entscheidung für den Sozialismus« gefunden, wie Kurt Sontheimer gemeint
hat[3], kurz: die in seiner Person wie am Exempel
sichtbar gewordene, traditionell deutsche Entfrem-
dung von Geist und Politik überwunden, ehe er
schließlich, als Emigrant, einer der enragierten
Kritiker des in Hitler offenbar gewordenen deutschen
Irrwegs geworden sei: in der Tat ein Entwicklungsroman.

Zahlreiche Äußerungen aus der zweiten Lebens-
hälfte des Dichters stützen diese Deutung offen-

kundig ab: angefangen von der aufsehenerregenden Rede »Von deutscher Republik«, die Thomas Mann 1922, zum 60. Geburtstag Gerhart Hauptmanns, gehalten hat, über die gegen Ende der Weimarer Republik beschwörend ins Politische ausgreifenden Studien zu Freud, Goethe, Richard Wagner, sich fortsetzend in den »Leiden an Deutschland« und schließlich gipfelnd in den von der BBC während des Krieges ausgestrahlten Rundfunkansprachen an die deutschen Hörer sowie in manchem anderen, was er selber, nicht ohne verwunderte Erheiterung, als »politisch gebundene Dienstleistungen« und »demokratisches Wanderpredigertum« bezeichnet hat. [4]

Die Frage ist freilich, ob von einem wirklichen Wandel der Grundüberzeugungen gesprochen werden kann. Nicht, daß die Bekenntnisse zur Republik, zu westlicher Zivilisation und sozialer Gerechtigkeit nur als die opportunistischen Zugeständnisse eines Mannes zu gelten hätten, dem die Rolle als Praeceptor und Festredner viele republikanische Messen wert gewesen wäre. Doch darf man die ironische Nebenspur nicht übersehen, die alles begleitet, was er je in Standpunktdingen geäußert hat, sie immer sogleich entschärfend, abschwächend und ins Paradoxe auflösend. Schon den »Betrachtungen eines Unpolitischen« hatte er eine Vorrede hinzugefügt, wonach in aller polemischen Heftigkeit, auf die er sich da eingelassen habe, in aller Streitlust, immer auch »ein Rest von Rolle, Advokatentum, Spiel,

Artisterei, Über-der-Sache-Stehen, ein Rest von Überzeugungslosigkeit« enthalten sei.[5] Und nicht viel anders verfuhr er anläßlich der Bekenntnisrede »Von deutscher Republik«. In dem Vorwort, das er der gedruckten Fassung voranstellte, verwirrte er seine Leser mit den Sätzen: »Wenn der Verfasser also auf diesen Blättern teilweise andere Gedanken verficht als in dem Buche des ›Unpolitischen‹, so liegt darin eben nur ein Widerspruch von Gedanken untereinander, nicht ein solcher des Verfassers gegen sich selbst ... Dieser republikanische Zuspruch setzt die Linie der ›Betrachtungen‹ genau und ohne Bruch ins Heutige fort.« Und an seine Briefpartnerin Ida Boy-Ed schrieb er, das soeben erst abgelegte Bekenntnis zur Demokratie schon fast wieder verleugnend: »Ich halte mich an die großen Meister Deutschlands, Goethe und Nietzsche, die es verstanden, anti-liberal zu sein, ohne irgend einem Obskurantismus das geringste Zugeständnis zu machen und der menschlichen Vernunft und Würde etwas zu vergeben.«[6]

Wer daher nicht einfach gutgläubig ist oder zu den ideologischen Proselytenmachern zählt, die auf beständiger Suche nach Zeugen und Eideshelfern der demokratischen Sache sind, wird mit der politischen Standortbestimmung des Dichters einige Mühe haben. Zusätzlich kompliziert wird das Urteil noch durch eine ebenso auffällige wie bezeichnende Diskrepanz, auf die Thomas Mann selber hingewiesen hat. Das rational Humanitäre, schrieb er in einem Brief aus dem Jahre 1935, äußere sich bei ihm »fast nur im Kritisch-Essayistischen, Polemischen ..., aber kaum in meinem dichterischen Werk, wo meine ursprüngliche Natur, die nach Gleichgewicht im Humanen verlangt, weit reiner zum Ausdruck kommt.«[7] Ungeachtet dessen berufen sich die Anwälte eines demokratisch geläuterten Thomas Mann fast ausschließlich auf seine politischen Schriften, weil in ihnen der Dichter selber als Person, Bürger und Bekenner zu sprechen scheint, während in den Romanen und Erzählungen jeder Standort durch die übergreifende Intention, durch Handlungszusammenhang oder Psychologie der auftretenden Personen bedingt und relativiert erscheint.

Wer es sich aber versagt, den Dichter, auch als Person, von seinem literarischen Werk kurzerhand abzutrennen, wird den Widerspruch, zumindest mit Beginn der zwanziger Jahre, immer neu entdecken. Und die Überlegung liefe dann darauf hinaus, ob Thomas Mann sich mit seinem essayistischen Werk, mit seinen Reden und Appellen nicht nur einer wie ernst auch immer begriffenen Pflicht unterwarf – während er in Wirklichkeit, in seinem Werk also und im Persönlichen, der alten romantisch-ästhetischen Position mitsamt ihren Antithesen von Geist und Politik, Kunst und Leben unveränderbar treu blieb; ob all die feierlich stilisierten Bekenntnisse zur Demokratie, zum sozial Nützlichen oder zum Fortschritt nur mühsamer »Gewissensdienst« waren – während er weiterhin jene apolitische »wütende Leidenschaft für das eigene Ich«[8] kultivierte, die sein Bruder Heinrich ihm vorgeworfen hat: die Vorliebe für Verfall, Untergang und weltverachtendes Außenseitertum. In seinem gesamten erzählerischen Werk jedenfalls hat die so spektakulär empfundene Wendung von 1922 keinen merkbaren Widerhall gefunden. Die Welt des Sozialen, in irgendeinem engeren Sinne Politischen: Revolution, Heraufkunft des Industriezeitalters, gesellschaftliche Veränderungen, aber auch die Menschen, die davon erfaßt, getragen und zerbrochen wurden – das alles ist den späten Romanen so fremd wie den frühen; am deutlichsten tritt es, paradoxerweise, noch in den »Buddenbrooks« hervor, die den Verfall einer Familie eng mit dem historischen Untergangsprozeß des Bürgertums verbinden.

Doch selbst für die »Buddenbrooks« hat Thomas Mann den gesellschaftlichen Aspekt nicht oder nur sehr beiläufig wahrhaben wollen und darauf beharrt, daß er individuelle Schicksale erzähle und im ganzen »die Verwandlung des deutschen Bürgers in den Bourgeois ein wenig verschlafen« habe.[9] Unverändert jedenfalls, vorher wie nachher, blieb sein Blick auf den sonderbaren, in eine geschichtslose Geschichtlichkeit versetzten einzelnen gerichtet, das »problematische Ich«. In »Königliche Hoheit« heißt es über Klaus Heinrich, der seine grüßenden, im Sonntagsstaat versammelten Untertanen betrachtet: »Er wußte nicht, wie sie unverschönt und unerhoben am Wochentag blickten und waren«[10] – das gleiche gilt auch für den Autor, der das nicht nur nicht wußte, sondern nicht einmal zu wissen verlangte. Die Verleugnung der sozialen und politischen Umstände geht so weit, daß Thomas Mann auf die Frage, wie sich reale Ortsnamen in dem Buche ausgenommen hätten, antwortete: »Das Wort ›Berlin‹, ein einziges Mal in einer einzigen Zeile aufklingend, hätte mit den hundert störenden Ideenverbindungen, die es hervorruft, meine ganze Imagination über den Haufen geworfen.«[11] Selbst der Josephs-Roman, dessen vierter Band vielfach (und nicht ohne Legitimation durch Thomas Mann selber) als eine hintergründige Huldigung an das Amerika Franklin Delano Roosevelts, an eine Welt des aufgeklärten, pragmatischen, sozialen Glücksstrebens verstanden worden ist, erzählt nichts anderes (wie wiederum Thomas Mann, groß in seinen Widersprüchen, bemerkte) als der Roman der »Buddenbrooks« auch schon: eine »Verfalls- und Verfeinerungsgeschichte«. Der junge Joseph sei durchaus mit Hanno zu vergleichen, äußerte er, »nur, daß ... in diesem mythischen Buch das Familiär-Bürgerliche ins Menschheitliche gesteigert wird«.[12]

Nicht anders steht es, aufs Ganze gesehen, um »Lotte in Weimar«, um »Doktor Faustus«, den »Erwählten« und schließlich um »Felix Krull«. Kurz nach dem Erscheinen des »Zauberberg« schrieb der Dichter auf entsprechende Einwände

25

hin an Julius Bab: »Daß das Soziale meine schwache Seite ist –, ich bin mir dessen voll bewußt und weiß auch, daß ich mich damit in einem gewissen Widerspruch zu meiner Kunstform selbst, dem Roman befinde, der das Soziale fordert und mit sich bringt. Aber der *Reiz* – ich drücke es ganz frivol aus – des Individuellen, Metaphysischen ist für mich nun einmal unvergleichlich größer. Sicher, Roman, das heißt Gesellschaftsroman, und ein solcher ist der Zbg. bis zu einem gewissen Grade auch ganz von selbst geworden. Einige Kritik des vorkriegerischen Kapitalismus läuft mit unter. Aber freilich, das ›Andere‹, das Sinngeflecht von Leben und Tod, die Musik, war mir viel, viel wichtiger. Ich bin deutsch … Das Zolaeske ist schwach in mir, und daß ich auf den 8 Stunden-Tag hätte kommen müssen, mutet mich fast wie eine Parodie des sozialen Gesichtspunktes an.«[13] Der das schreibt, ist strenggenommen immer noch der Autor der »Betrachtungen eines Unpolitischen«, der wie unberührt von dem, was die nationale Rechte ihm als »Überläuferei« vorwarf, von Gesinnungswechsel und Hochrufen auf die Republik, an der Idee einer elementaren, in der deutschen Geistestradition begründeten Politikfremdheit festhält.

Schon diese wenigen Andeutungen machen offenbar, wie irrig im Falle Thomas Manns der bloße Versuch einer genaueren politischen Positionsbestimmung ist. Man verfehlt sein Wesen selbst, die Lust am Vexatorischen, an Schein, Rollentausch

26

und höherem Versteckspiel, sofern man ihn beim Wort nimmt. Sein innerstes Bedürfnis ging durchweg gegen Parteinahme, Tendenz und Engagement, sogar gegen alle Formen öffentlicher Mitmacherei, und noch Mitte der vierziger Jahre notierte er, dergleichen habe für ihn stets »leicht den Charakter des Phantastischen, Traumhaften, Skurrilen« gehabt.[14] Alle Gesinnungszugehörigkeiten waren seiner Natur tief zuwider, und wie Hans Castorp wollte er immer der »Herr der Gegensätze« bleiben. Den Streit beispielsweise darüber, ob er dem totalitären Glücksdespotismus Naphtas oder dem Freiheits- und Fortschritts-Belcanto Settembrinis stärker zuneige, hat er mit ratlosem Achselzucken verfolgt; er gab jeder seiner Figuren die Chance des besseren Arguments und der stärkeren Wirkung, sie waren alle seine Geschöpfe: er war für Tonio Kröger und Hans Hansen, war für Mario, doch für den Zauberer auch.

Als reflektierender Schriftsteller, der wie kaum ein anderer das eigene Werk unablässig interpretiert, hat, hat Thomas Mann auch das mit jedem Roman, jeder Erzählung kunstvoll neu errichtete System der gebrochenen Bedeutungen, der angeschlagenen, nie nur einfach ins Recht oder Unrecht gesetzten Figuren zur eigenen Theorie entwickelt. Es handelt sich um nichts anderes als die Thomas Mannsche Ironie. Sie ist weit mehr als bloßes Stilmittel und literarischer Gestus, sondern rührt unmittelbar an den Grund der Persönlichkeit selber.

Mit einem beispiellosen methodischen und sprachlichen Erfindungsreichtum hat er sich dieser Ironie in allen denkbaren Formen bedient. Sie taucht ebenso als Untertreibung auf wie in der absichtsvoll überziehenden Beschreibung von Personen, Vorgängen und Empfindungen; in doppelten Verneinungen, die als Bejahung mit gleichsam stiller Reserve erscheinen, in leitmotivischen Wiederholungen wie beispielsweise Tony Buddenbrooks Formel vom Leben, das sie, weiß Gott keine Gans mehr, kennengelernt habe; in der kühnen Verkoppelung von Widersprüchen, im plötzlichen Tonartenwechsel und was man darüber hinaus noch anführen mag.

Für dieses novellistische Mittel, das eine allezeit überlegene, nie in die vorbehaltlose Identifikation übergehende Erzählhaltung statuiert, gibt es in jedem Werk des Dichters, auf jeder Seite geradezu, eine Vielzahl von Beispielen. So vermerkt Thomas Mann an hochgestellten, durchaus achtunggebietend eingeführten Personen mit Vorliebe den einen oder anderen ins Lächerliche weisenden Zug, an den Zarten das Triebhafte oder läßt im »Tod in Venedig« den Boten des Jenseits als komische Figur auftreten. Das Gesicht des »Kleinen Herrn Friedemann«, das so jämmerlich »zwischen den Schultern saß«, war dennoch »beinahe schön«, Herr Settembrini eine »Mischung von Schäbigkeit und Anmut«.[15] Von besonderer Problematik sind, aus der Sicht eines derart distanzbedachten Erzählers, die Situationen emotionaler Gefühlsüberwältigung, und im »Zauberberg« finden sich zwei ingeniöse Beispiele für die Ausweichbewegung, mit deren Hilfe Thomas Mann es vermeidet, selber in die Falle jenes Gefühls zu tappen, in die er seine Geschöpfe gebracht hat. Denn der Rückzug Hans Castorps in die französische Sprache – beim Liebesbekenntnis gegenüber Clawdia Chauchat – bedeutet nichts anderes als den Versuch, sich noch im Geständnis der Leidenschaft abzusichern, sich nicht preiszugeben, einen Rest von Unverbindlichkeit zu wahren: »Car pour moi«, äußert er, »parler français, c'est parler sans parler, en quelque manière – sans responsabilité.«[16] Möglicherweise noch sinnfälliger ist die Szene, in der Hans Castorp vor der Leiche Joachim Ziemßens steht. Die Schilderung der Gemütsbewegung, die ihn überfällt, wird unvermittelt abgebogen in die Beschreibung des »alkalisch-salzigen Drüsenprodukts«, das dem Trauernden über die Wangen läuft. »Er wußte«, heißt es dann, wie um die Sache auf die Spitze oder richtiger, von aller Zuspitzung im Gefühl wegzutreiben, »es sei auch etwas Muzin und Eiweiß darin.«[17]

Noch greifbarer äußert sich der ironische Vorbehalt in der einfallsreichen Kombination von Adjektiven und Substantiven, die vielfach nicht nur eine dialektische Spannung zwischen den Wörtern herstellt, sondern zu unverhohlen antithetischen Verbindungen führt, in denen sich die gedankliche Substanz nahezu auflöst und die Erkenntnis weniger durch den begrifflichen Zusammenhang selber als durch dessen Suggestion vermittelt wird. In »Schwere Stunde« ist einmal von der »sehnsüchtigen Feindschaft« Schillers zu Goethe die Rede; Thomas Mann spricht vom »bleichen, verbrecherischen Heiligenantlitz Dostojewskis«, nennt Nietzsche den »trunkenen Migräniker von Sils-Maria« und die Ironie selber schließlich, in einer doppelt gebrochenen Wendung, eine Form »höchster Selbstentäußerung«, einhergehend mit »zärtlichster Verachtung«.[18]

Von diesen sprachlichen und erzählerischen Formen, den kunstvollen Ambivalenzen, die alle Konturen aureatisch zerfließen lassen, sie ins Zwielichtig-Ungenaue heben, doch den Verlust an Präzision durch einen hohen Gewinn an Transparenz, Farben und Halbtönen aufwiegen, geht der Blick am Ende zurück auf Thomas Mann selber. Auf seiten der Persönlichkeit ist diese Ironie nichts anderes als ein Versuch der Selbstverheimlichung, die literarische Figur des »Inkognitos«; sie ist fundamentale Entscheidungs- und Bekenntnisscheu, die sich in die Haltung der Überlegenheit zu retten versucht.

Sie drängte folglich auch nicht nur im Werk hervor, sondern zeigte sich in den Bedürfnissen und Vorlieben ebenso wie in der habituellen Eigenart. Denn die Maskerade offenbart immer die Lust oder Nötigung der ganzen Person zur Verkleidung. Schon das Puppentheater des elterlichen Hauses, für das die Brüder, hinter einer Wand verborgen, in Rollen schlüpften, dramatische Zuspitzungen erfanden,

Aktschlüsse erprobten und in alledem, auf noch kindlich spielerische Weise, etwas von Freiheit und Macht des »Herrn der Geschichte« erlebten, brachte diese Neigung zum Versteckspiel zum Vorschein. Mit den gleichen Bewandtnissen hat, auf ganz anderer Ebene, Thomas Manns lebenslange Leidenschaft für die Musik zu tun, die er, sofern dergleichen begründbar ist, gerade ihrer Vieldeutigkeit, ihres verschwimmenden, kaum faßbaren Wesens wegen liebte.

Auch seine äußere Erscheinung, der Zug ins Hochgeknöpfte, korrekt Manierliche und fast Beamtenhafte, das auf den Photographien der Zeit erkennbar wird, das Tenue bürgerlicher Reputierlichkeit, das er seinem Auftreten wie seinen Lebensumständen gab, ließe sich als existentielle Form der Ironie deuten. In einer Beobachtung, die soviel Einfühlung wie Selbstkritik enthält, hat Heinrich Mann in der Förmlichkeit des Bruders vor allem das Erbteil des Vaters gesehen; um ein Werk von Dauer hervorzubringen, habe Thomas sich vorgenommen, »pünktlich und genau (zu) sein. Es gibt kein Genie außerhalb der Geschäftsstunden«[19], schrieb er. Aber hinter allem zeremoniösen Gehabe, das Thomas Mann herauskehrte, stand, fast überbewußt, das Künstlerische, Ordnungswidrige, die Treulosigkeit gegen jede Konvention und jedes Prinzip: »Man ist als Künstler innerlich immer Abenteurer genug. Äußerlich soll man sich gut anziehen, zum Teufel, und sich benehmen wie ein anständiger Mensch.«[20]

31

Darin unterschied er sich auf unverkennbare Weise von Heinrich, der mondäne Verhältnisse und einen Lebensstil kavaliersmäßiger Bohème liebte, sich in aller Öffentlichkeit mit Frauen umgab, denen ein anrüchiger Lebenswandel nachgesagt wurde, aber zu frei und eigensinnig war, den Konventionen nachzugeben. Während Thomas sich mit einer Mischung aus Unbehagen und Scheu von den »Zigeunern im grünen Wagen« fernhielt, saß Heinrich mitten unter ihnen, ein ungenierter »Artist«, ein »Ausreißer« und »Messerschlucker«, wie Thomas Mann ihn gelegentlich bezeichnet hat.[21] Seine eigene Unabhängigkeit und Ausreißerei ging im Gegensatz dazu ganz nach innen, ins Verborgene, und mit guten Gründen hat man darauf hingewiesen, daß diese Unterschiede auch aus der abweichenden sexuellen Veranlagung der Brüder herrühren mögen.[22] Die gleichgeschlechtlichen Neigungen Thomas Manns, verbunden mit einem nervösen, leicht beeinflußbaren Temperament, zwangen ihn, sich eine »bürgerliche Verfassung« zu geben, deren Beengungen er schreibend, durch die Freiheiten der Kunst überwand. Seine Vorliebe für eine Personnage der Gebrochenen, der Versager, Teufelspaktierer und Hochstapler wäre dann eine Art romantischen Ausgleichs, mit dem er sich für den Übertritt ins Bürgerliche schadlos hielt, während Heinrich seine unbürgerlichen Lebensumstände, nach unsicherem Beginn, durch ein Werk kompensierte, das soziales Pathos mit appellhafter Moralität verband, die

Figuren im Guten wie im Bösen monumentalisierte und in alledem ein Element von Schulmeisterernst erkennbar werden ließ. Beide schrieben von Sehnsüchten und lebten schreibend in einer Welt, in der sie mit der anderen, unterdrückten Seite ihres Wesens zu Hause waren.

Daneben gab es weitere Gründe für das Bedürfnis, die eigene Person zu verbergen. Auffällig ist immerhin, daß Thomas Mann, wie sehr er die Ironie auch zum Prinzip erhoben und gefeiert hat, nie ein Wort über die Motive verlor, die in die Persönlichkeit selber zurückreichen. Er hat sie durchweg künstlerisch begründet, vereinzelt auch als Ausdruck zivilisierter Menschlichkeit, als Zweifel, Bescheidenheit oder Verzicht auf große Gebärden beschrieben. Aber solche Hinweise lösen die Frage nicht, sondern kleiden sie nur in die Form einer Antwort, da hinter allen Kunsttheorien oder -haltungen wiederum ein Bedürfnis steht. Selbst die inzwischen veröffentlichten Tagebücher, die ein einzigartiges Dokument nie ermüdender Selbstbemusterung sind, wo von zahllosen Alltagsmalaisen, von nervösen Hypochondrien, Verdauungsstörungen und Todesanwandlungen bis hin zu den Auslagen für Schneider, Friseur und Zigarrenhändler die Rede ist, enthalten auf mehreren tausend Seiten kaum eine Andeutung zur Psychologie dieser offenbar elementaren Neigung. Einige Male ist von homoerotischen Anfechtungen die Rede, und wer darin einen Schlüssel sieht, wird zu einigen Ein-

33

sichten finden. Im ganzen aber endet der exzessive Hang zur Selbstpreisgabe dort, wo die Ursache des ironischen Verhältnisses zur Welt aufzudecken wäre. Zugleich bestätigt der distanzlose Ernst, mit dem Thomas Mann die eigene Person betrachtet, die pedantische Gravität, mit der er wohlwollende Dutzendkritiken, Ehrungen oder den Beifall vermerkt, den er auf seinen Vortragstourneen erhält, die allgemeine Einsicht, daß die ironische Existenz zur Selbstironie unfähig ist.

Wenn Ironie ein Zeichen von Schwäche ist, war sie in seinem Fall, sofern man sich ans Belegbare hält, neben den erwähnten Gründen vom weit in die eigene Biographie zurückreichenden Außenseitergefühl verursacht. Schon früh und in überwacher Bewußtheit hat der späte Nachfahre einer hanseatischen Kaufmannsfamilie empfunden, daß deren robuste Tugenden in ihm zu Ende gingen. Und wem die Figur des Hanno, des »kleinen Verfallsprinzen«, wie Thomas Mann ihn nicht ohne narzißtische Zärtlichkeit genannt hat, allzu literarisch umgesetzt erscheint, kann in Peter de Mendelssohns Biographie nachlesen, wie der Schüler der Lübecker Gelehrtenschule Katharineum, fremd, blaß und hochmütig, der Welt gegenübertrat. Wenn der Hauptpastor Ranke von St. Marien, schon bald nach dem Tod des Senators, die rasch in der Stadt umlaufende Bemerkung von der »verrotteten Familie« machte[23], so bezog sich das zwar vorab auf einige Vorfälle der vergangenen Jahre, die in den »Bud_ denbrooks« mit den Namen Christians oder auch Hugo Weinschenks verknüpft sind. Aber gemeint waren sicherlich auch die beiden Söhne des Verstorbenen, die, teilnahmslos und blasiert, in »träumerischer Renitenz«, die Kaufmannswelt verachteten, der sie entstammten.

Auch wenn man nur wenig über die Wirkung jener Skandalgeschichten und des boshaften Hirtenworts auf den jungen Thomas Mann weiß, ist doch ziemlich sicher, daß sie die Gefühle des Ressentiments gegen die Welt noch verstärkten und sich mit dem Bewußtsein leidender Verfeinerung, mit undeutlichen Schuldgefühlen und dunklen Kompensationswünschen zu der Vorstellung verbanden, zu etwas Besonderem, Unerhörtem ausersehen zu sein: dies alles aber in der Sorge, es vor den Menschen und ihrem Hohn geheimzuhalten.

Nur durch die Kunst, so viel erfaßte er, sofern man den frühen Zeugnissen, vor allem der Erzählung »Der Bajazzo« folgt, auf deren autobiographische Wahrheit Thomas Mann selber hingewiesen hat, konnte er sich dem Leben entziehen und gleichzeitig an ihm teilhaben. »Wie, wenn ich in der Tat ein Künstler wäre?«, fragt die Titelfigur, ein von Selbstzweifeln erfüllter, vor der Welt hilflos und lächerlich wirkender junger Mann. In den sich überstürzenden Worten, mit denen er sein Verhältnis zu den Menschen kennzeichnet, klingt der ganze Außenseiterkomplex des Autors nach: »Ausgeschlossen, unbeachtet, unberechtigt, fremd, hors ligne, deklassiert, Paria, erbärmlich vor mir selbst.«[24] Aber indem er alles in Darstellung verwandelte, konnte er die verworrenen Gefühle zu gegliederten Satzperioden formen, die Ängste und Melancholien in Wortgehäuse sperren oder in erfundene Figuren verlegen. Im Kunstwerk bot sich die Möglichkeit, allen Meinungszwängen zu entgehen, indem er Behauptung und Widerspruch im Antagonismus erzählend eingeführter Gegenspieler zur Sprache brachte, hinter denen er sich ebenso offenbarte wie verbarg. »Es hilft nichts: man muß leben«, sagt der Ich-Erzähler der Novelle. Aber das Leben und die Offenbarungseide, die es dem einzelnen abverlangte, wurden erträglicher durch die Möglichkeit, ihm ironisch auszuweichen.

Die literarischen Anfänge Thomas Manns standen ganz im Zeichen der deutsch-romantischen Tradition, die zahlreichen Erinnerungsstücke, die davon handeln, rufen stets aufs neue die Namen Schopenhauer, Wagner, Nietzsche herauf und verknüpfen sie variantenreich mit Begriffen wie Musik, Tiefe, Todesstimmung: dies ist, hat er so oder ähnlich wiederholt bekannt, »doch eigentlich die Heimat meiner Seele«.[25] Von daher ebenso wie aus weiter zurückliegenden, dem deutschen Idealismus entstammenden Quellen kam die schroffe, von der eigenen Lebenserfahrung schon früh bestätigte Trennung von Geist und Leben, kamen schließlich die unentwegt beschworenen, auf die Höhe eines Kardinalkonflikts getriebenen Antinomien von Literatur und Wirklichkeit, von Kunst und Politik. Der Vorrang im Verhältnis zwischen dem einen und dem anderen war unstreitig: die erfundene Welt überragte unendlich das Schattenreich der Realität, die fiktive Wirklichkeit war existenter als jene, die sich vorurteilsvollerweise für wirklich hielt.

Die gleiche Vorstellung erhob den Künstler selber hoch über alle Realität; er stand über den Machtkämpfen, den verächtlichen Balgereien der Interessen und demonstrierte in Person und Haltung die einzig wahrhaft unabhängige Instanz. Gerade sein gesellschaftliches Desinteresse, sein Abstand zur Wirklichkeit, bezeugte seinen Rang: ein Asozialer mit grandios weltfremden Zügen, dessen Asozialität freilich nicht genialischer Exzeß und antibürgerlicher Koller war, sondern rigoroser Lebensverzicht – Nietzsches »Pathos der Distanz« war der Schlüsselbegriff für diese ungemein hochstilisierte, ins Entsagungsvolle, Asketische, auch undeutlich Heroische ausgeweitete Künstleridee. Im »Tonio Kröger«, der nichts anderes als die erzählerische Umsetzung dieses Konfliktes ist, sagt die Titelfigur: »Es ist nötig, daß man irgend etwas Außermenschliches und Unmenschliches sei, daß man zum Menschlichen in einem seltsam fernen und unbeteiligten Verhältnis stehe, um imstande und überhaupt versucht zu sein, es zu spielen, damit zu spielen, es wirksam und geschmackvoll darzustellen. Die Begabung für Stil, Form und Ausdruck setzt bereits dies kühle und wählerische Verhältnis zum Menschlichen, ja eine gewisse menschliche Verarmung und Verödung voraus. Denn das gesunde und starke Gefühl, dabei bleibt es, hat keinen Geschmack. Es ist aus mit dem Künstler, sobald er Mensch wird und zu empfinden beginnt.«[26]

Was immer aus diesen knapp resümierenden Bemerkungen über den philosophisch-literarischen Ideenhintergrund im Werk Thomas Manns hervorgehen mag: es leuchtet ein, daß solche Auffassungen einen Abstand zu Szenerie und Figuren herstellen, der die Umrisse der wirklichen Welt nahezu zerrinnen läßt. Nicht zufällig greift denn auch das Werk so häufig ins Mythische, ins Märchen- oder auch Legendenhafte aus, überall ist Zauberberg, hoch über einem entschwindenden Flachland. Das Gesellschaftliche, die Herkunft, der soziale Status einer Figur oder ihre Überzeugungen sind denn auch selten mehr als eine Farbe psychologischer Grundierung und bedeuten etwa ebensoviel wie irgendeine körperliche Mißbildung, ein tic nerveux, eine Absonderlichkeit in Kleidung oder Gebaren. Und wenn jene Ironie, die, nach allen Seiten hin, mit souveränem Gleichmut auf übereinstimmenden Abstand achtete, überhaupt Abneigungen oder Sympathien durchschimmern läßt, so gilt das eine den Erfolgreichen, Gesunden, die aus dem Blickwinkel des Autors immer zugleich auch die Gewöhnlichen sind, weil Vitalität eine Erscheinungsform des Trivialen ist: in Alois Permaneder, dem mit derbem Urlaut in die verdünnte Lübecker Luft einbrechenden Exoten aus dem Bayerischen, oder in Herrn Klöterjahn aus der Novelle »Tristan« hat Thomas Mann die Irritation durch die lebensstrotzende Strammheit, das Animalische in bourgeoiser Verkleidung, nicht ohne karikaturenhafte Schnörkel, in literarische Figuren übertragen.

Das andere aber, nämlich mitfühlendes, aus psychologischer Verwandschaft inspiriertes Interesse gilt in diesem Werk ausschließlich den déracinés, den vergeistigten décadents: den Hannos, Aschenbachs, Tonio Krögers oder Hans Castorps, den pathologischen Sonderfällen der am Leben selbst Erkrankten oder sich ins Leben Zurücksehnenden bis hin zu den »aristokratischen Monstren«. Sie alle sind, wie sie in diesem Erzählwerk auftreten, durchweg Vereinzelte, vom Leiden bedrohte und erhöhte Menschen, es gibt keine Klassen, keine Gesellschaft, überhaupt keine überpersönlichen Zugehörigkeiten, sondern nur Ferne, Fremdheit, Ausgeschlossensein; folglich auch keine Politik. In einem Brief an seinen Bruder Heinrich hat Thomas Mann, kurz vor Ausbruch des Ersten Weltkriegs, seine Unfähigkeit bekannt, sich »geistig und politisch eigentlich zu orientieren, wie Du es gekonnt hast«. Fortschritt, Menschenrechte, Freiheit, überhaupt das gesamte politische Faszinationsvokabular der Zeit, bleibt in seinem Werk ohne Echo. »Mein ganzes Interesse«, bekannte er, »galt immer dem Verfall, und das ist es wohl eigentlich, was mich hindert, mich für den Fortschritt zu interessieren.« In einem anderen

39

Brief, wiederum an Heinrich, heißt es noch bündiger: »Für politische Freiheit habe ich gar kein Interesse.«[27]

Doch die Umstände, insbesondere der Ausbruch des Ersten Weltkriegs, stellten dieses System ästhetisierender Wirklichkeitsverachtung in Frage, und der rückschauende Betrachter sieht sich, angesichts der Werke und privaten Zeugnisse jener Phase, einem Drama der Selbstentfremdung gegenüber: Thomas Mann selber hat davon gesprochen, daß er damals in die Krise seines Lebens geraten sei.[28] Aber wie er sich, in einer doppelten Bewegung, dem Anspruch der Politik entzog und ihm gleichzeitig entsprach, wie er auswich und sich stellte, offenbart aufs nachdrücklichste, daß Ironie für ihn nicht nur ein Stilmittel und unnachahmlich verwendeter Kunstgriff war, sondern virtuos gehandhabte Lebensmaxime.

Im Anschluß an zwei kürzere, bald nach Beginn des Krieges veröffentlichte Arbeiten, den »Gedanken zum Kriege« sowie dem Essay »Friedrich und die große Koalition«, begann Thomas Mann mit der Niederschrift der »Betrachtungen eines Unpolitischen«. Halb politisierendes Gedankenstück, halb autobiographische Selbsterforschung, kehrte es die bis dahin bezeugte politische Gleichgültigkeit in einen aggressiv vertretenen Anspruch auf Freiheit von aller Politik um und fügte den vertrauten Antithesen von Geist und Leben oder Tod und Schönheit die in wortreichen Paraphrasen variierten

Gegensätze von Kultur und Zivilisation, Radikalismus und Kunst sowie schließlich, alles ins Prinzipielle steigernd, von deutschem Wesen und Politik hinzu: sie, die Politik, sei dem deutschen Charakter »fremd und giftig«, heißt es beispielsweise, und in den deutschen Bildungsbegriff sei das politische Element bezeichnenderweise nicht eingegangen. In den polemisch gegen den Westen, gegen Aufklärung, Fortschritt, Demokratie oder Menschenrechte, alle diese »generösen Zauber- und Schwindelworte«,[29] gerichteten Passagen wurden nicht nur die Abschiedsängste einer bedrohten Lebensform vernehmbar, sondern auch, angesichts der alliierten Kriegspropaganda, etwas von dem fassungslosen Staunen, mit dem das deutsche Bürgertum seine hochmütige Abstinenz von der Politik als barbarische Rückständigkeit, als Ohnmacht und Untertanengesinnung herabgesetzt sah.

Die Attacken Thomas Manns erhielten die besonders grelle Farbe durch die erbitterte Auseinandersetzung mit seinem Bruder Heinrich, die zu eben jener Zeit auf den Höhepunkt kam. Die Spannungen hatten bald nach dem Erscheinen der »Buddenbrooks« eingesetzt und waren ursprünglich in brüderlicher Rivalität, im unterschiedlichen Erfolg, aber auch im entgegengesetzten Temperament begründet. Am frühen Briefwechsel der Brüder kann man verfolgen, wie dieser persönliche Gegensatz alsbald zu prinzipiellen Positionen umgeformt wird. Im zunehmend gesteigerten Abgrenzungsbedürfnis definierte Thomas Mann sich als »ethischer Individualist«, als Vertreter eines protestantisch-romantischen Deutschtums, der sich der Literatur und ihrem Anspruch wie unter ein Joch beugte, immer Schwere Stunde, eine Sache von Mühsal und Selbstzweifel, der Disziplin und geduldigen Ausdauer, die alle Künstleremphase, alles Inspirationsfieber am Ende benötigten, damit das Werk zustande komme: Tag für Tag zum festgesetzten Zeitpunkt, unabhängig von Stimmung oder Eingebung, vor dem leeren Blatt Papier, um, wie er einmal geäußert hat, jene ein oder anderthalb Seiten voranzukommen, die schließlich heraussprangen, immer »am Rande der Erschöpfung«.

Vom Gesellschaftlichen als Streitpunkt war in der Auseinandersetzung mit Heinrich anfangs verblüffenderweise kaum die Rede, viel eher schienen die Positionen geradezu vertauscht, und noch in einem Brief von Anfang 1905 äußerte Thomas Mann dem Bruder gegenüber, nicht ohne einen irritierten Unterton, er scheine »Irrungen und innere Niederlagen überhaupt nicht zu kennen« und nur noch Künstler, Ästhet zu sein, »während ein Dichter, Gott helfe mir, mehr zu sein hat, als bloß ein Künstler«.[30] Erst kurze Zeit später, mit dem »Professor Unrat«, machte Heinrich seine abrupte Wendung öffentlich. In ebenfalls zunehmend sich verschärfenden Absetzbewegungen kehrte er von nun an den politischen Moralisten heraus, der mitleidend und parteinehmend die Literatur als gleichsam operatives Mittel zur Weltverbesserung betrachtete. Der Gegensatz schien exemplarisch. »Du verachtest zuviel, es wird Dir schaden«, wandte Heinrich sich, über eine seiner Romanfiguren, an den Bruder: »ich hasse lieber.«[31]

In aller Schärfe war der Zwist dann im Verlauf des Jahres 1915 entbrannt, als Heinrich Mann die Veröffentlichung seines Bruders über »Friedrich und die große Koalition« mit einem umfangreichen Essay über Emile Zola beantwortete, einem Stück berechnend verdeckter Polemik gegen die »Wortführer und Anwälte des Rückfalls«, dessen Lektüre Thomas Mann, wie er später schrieb, »für Wochen krank machte«.[32] Wie sehr der Gegensatz auch ideologisiert und auf die Forderung hochgetrieben war, Literatur und Politik müßten sich versöhnen und durchdringen oder beide würden entarten, schlug doch die brüderliche Eifersucht immer wieder durch. Niemand anderes als Thomas konnte gemeint sein, wenn es hieß: »Durch Streberei Nationaldichter werden für ein halbes Menschenalter, wenn der Atem so lange aushält; unbedingt aber mitrennen, immer anfeuernd, vor Hochgefühl von Sinnen, verantwortungslos für die heranwachsende Katastrophe, und übrigens unwissend über sie wie der Letzte!«[33]

Obwohl Thomas Mann die Arbeit an den »Betrachtungen« schon Monate zuvor begonnen hatte, stellte der Essay unversehens ein anschauliches Feindbild vor ihm auf, an dem er die eigene Position erst eigentlich entwickeln und ins Grundsätzliche ausbauen konnte. Die Figur des »Civilisationsliteraten«, der er, ohne den Namen Heinrichs je zu nennen, ein eigenes, invektivenreiches Kapitel des Buches gewidmet hat, ist nichts anderes als die ins Riesenhafte, Weltverschwörerische aufgeblähte Person des Bruders: der »Humanitätskomödiant«, der »Unzucht mit der Tugend« treibt, während er mit advokatorischer Plattheit, die eine Hand beteuernd aufs Herz gelegt, mit der anderen Rousseaus »Contrat social« schwenkend, von Freiheit, Gleichheit und Fortschritt schwadroniert: »Den Hals in Pelz geschmiegt«, schrieb er, auf Heinrichs luxuriöse Bedürfnisse deutend, »steht man, umstarrt von den Linsen der Kinematographen, und singt vom ›Geist‹.«

Demgegenüber erhob Thomas Mann selber, mit immer neuen Einfällen, Zitaten und Verweisen die These verschärfend, seine Entscheidungsschwäche geradezu zur Voraussetzung der künstlerischen Existenz: der wirkliche Künstler, entschied er, stehe immer zwischen den Fronten; er verachte, wie jedes geistige Wesen überhaupt, jenes Rechthabenwollen, das zur Voraussetzung des politischen Menschen gehöre, der eben deshalb tief widergeistig sei; der Künstler sei die Unzuverlässigkeit in Person, ein »Roué des Potentiellen«, der mit allen, gerade auch den verbotenen Möglichkeiten, sein Spiel treibe, und zur Kunst sich in dem Maße fähig zeige, in dem er gesinnungslos ist. »Was mich empört«, schrieb Tho-

44

mas Mann damals an Ernst Bertram, »was mich anwidert, ist die gefestigte Tugend, die doktrinäre, selbstgerechte und tyrannische Hartstirnigkeit des Civilisationsliteraten, der ... verkündigt, daß jedes Talent verkümmern müsse, das sich nicht der Demokratie verschwört. Dann will ich lieber in Freiheit und Melancholie verdorren, als durch politische Borniertheiten blühen und selig werden.«[34]

Es liegt auf der Hand, daß die »Betrachtungen eines Unpolitischen«, ihrem Charakter als Streit- und Verteidigungsschrift entsprechend, weder Selbstzweifel noch ironische Gebrochenheit vertrugen. Schon die Form des essayistischen Plädoyers erlaubte es, selbst der Theorie vom Künstlerverrat zum Trotz, Gesinnung zu demonstrieren, ein entschiedenes, alle spielerische Zweideutigkeit meidendes Bekenntnis abzulegen, und in der Tat wurde das Buch auch weithin so verstanden. In Wahrheit aber ist es, verliert man angesichts der ungewohnt verschärften Tonlage die Argumentation des Autors nicht aus dem Blick, wiederum ein Werk der Skepsis, des Argwohns gegen die eigene Sache, ein Buch, wie Thomas Mann selber gesagt hat, »ohne den Gedanken an endgültige Festlegung«.

Schon die lauttönende Verteidigung des deutschen Obrigkeitsstaates sowie des Rechts auf Politikenthaltung, war, wie er wohl wußte, selber ein Schritt in die Politik und sogar ins Zivilisationsliteratentum. Schwerer aber wog die Überzeugung, daß »ein Volkskrieg wie dieser unweigerlich, unbedingt und

sogar unabhängig von seinem Ausgange die Demokratie bringen müsse«. [35] Das aber konnte nichts
anderes heißen als die Politisierung Deutschlands
und damit zugleich das Ende dessen, was er als
»deutsch« verstanden und sich zu eigen gemacht
hatte, bevor er es jetzt erregt in Schutz zu nehmen
begann, eine Welt apolitischer, selbstversunkener
Innerlichkeit, die Welt Joseph Eichendorffs: nämlich »Traum, Musik, Gehenlassen, ziehender Post-
hornklang, Fernweh, Heimweh, Leuchtkugelfall
auf nächtlichen Park« [36], kurz, eine hochromantische,
idyllisch ausgeschmückte Idee. Daß sie nur wenig
mit der Wirklichkeit, dem dröhnend sich industriali-
sierenden, ehrgeizig ausgreifenden Deutschland der
Wilhelminischen Ära gemein hatte, tat der Idee
selber keinen Abbruch. Der entscheidende Gedanke
war vielmehr, daß es damit ein Ende habe, auch ein
Ende haben müsse, wenn Deutschland überhaupt
als Staat existieren und unter Staaten sich behaupten wolle. Wie mühsam diese Essenz aus dem regel-
losen, von Willkür und Wortreichtum geprägten
600-Seiten Essay durch allen polemischen Vorder-
grundlärm hindurch auch herauszupräparieren sein
mag, er bleibt der Abgesang auf das bürgerliche
Deutschland, les adieux du siècle, und nicht zu Unrecht hat Thomas Mann auch von den »Betrachtungen« gesagt, sie seien ein Parallelwerk zu den
»Buddenbrooks«: dort die Geschichte vom Verfall
einer Familie, hier der Kunstessay, der, schon halbwegs vom anderen Ufer aus, nicht ohne innere

Bewegung, den Untergang einer nationalen Eigenart beschreibt.

Im ersten Band der privaten Tagebücher Thomas
Manns findet sich, etwa aus der Zeit des Erscheinens
der »Betrachtungen«, eine Eintragung, die den
Zwiespalt des Buches, der von nun an auch zum
Zwiespalt seines Lebens werden sollte, aufs kürzeste
formuliert: Es sei, heißt es da, in einem Gespräch
die Rede davon gewesen, »Deutschland zu moderni-
sieren, zu demokratisieren, mit dem alten, dem
romantischen, dem kaiserlichen Deutschland auf-
zuräumen«, doch habe man gleichzeitig auch von
den »Qualen« gesprochen, die dieser Prozeß berei-
ten werde, weil das »Alte mit dem Deutschtum
selbst vielleicht zu tief identisch ist«. [37]

Um diesen Widerspruch und seine Auflösung geht
es in den folgenden Jahren immer wieder. Gerade
die frühen Tagebücher fallen ein ums andere Mal
in eine Haltung gereizter Politikverachtung zurück;
»Deutschland will die Politik los sein – das wenigstens will es denn doch haben von seinem weltpoli-
tischen Zusammenbruch«, heißt es Ende 1918. [38]
Eindrucksvoller als vielfach sonst, erhält man auf
diesen Seiten einen Begriff von dem tiefsitzenden
antiwestlichen und antidemokratischen Affekt des
deutschen Bürgertums, das sich nun, am Ende des
Krieges, durch Druck und uneingelöste Verspre-
chungen in die demokratische Zivilisation der Völker
wie in einen Hinterhalt gelockt sah. »Erregung und
Grauen«, notiert Thomas Mann, er spricht von den

47

»pharisäischen Greueln« des selbstgerechten We-
stens, nennt die Demokratie den »Riesen-Gemein-
heits-Betrieb der Neuzeit«, die Presse der Siegermächte »die losgelassene Bestie der Demokratie«
und empört sich im Sommer 1919, angesichts der
Verhandlungen in Versailles, über »die Affenkomö-
die des Friedens«.

Zugleich offenbart sich auf diesen Seiten auch,
ansatzweise zumindest, der tiefere Grund seiner bis
in die letzten Lebensjahre zu wiederholten Malen,
wie zögernd auch immer geäußerten Sympathie
mit dem Kommunismus: das durchschlagende
Motiv war und bleibt der schwer überwindbare
Soupçon gegen den »Entente-Demokratismus«,[39]
der ihm, in Abwandlung einer berühmten späteren
Formel, die »Seele« Deutschlands zu gefährden
schien, während der Kommunismus »nur« seine
Freiheit bedrohte. Der Westen war platt, hedo-
nistisch, bourgeois, mit einem Wort: politisch, während seine Vorstellung vom Kommunismus weitge-
hend mit dem Bild zusammenfiel, das er sich in
der Beschäftigung mit der Literatur des Landes von
Rußland zurechtgemacht hatte, dem tiefen und
tragischen. Doch als in München die Räterepublik
errichtet wird, kommt es zu raschen Enttäuschungen. Unverhohlen mokiert er sich im Mai 1919 über
den Faschingscharakter dieser Revolution, die
»wüste Narrenwirtschaft ... von bodenständiger
›Gemütlichkeit‹ und kolonialem Literatur-Radi-
kalismus«, und bezeichnet den Bolschewismus, im

Blick auf Rußland, als »die schrecklichste Kultur-
katastrophe, die der Welt je gedroht hat, die Völ-
kerwanderung von unten« mit der »Kirgisen-Idee
des Rasierens und Vernichtens«. Die Situation ohne
Alternative, die getäuschte Erwartung nach beiden
Seiten, hält eine der letzten Eintragungen des Tage-
buchs fest: »Wie aber hat die ›Revolution‹, haben
Politik, Programm und ›entschlossene Menschenliebe‹ abgewirtschaftet.« [40]

Schon rund zehn Monate später hielt der Dichter
in Berlin, Erstaunen und Irritation auslösend, die
Rede »Von deutscher Republik«. Der äußere Anstoß dazu kam offenbar von den radikalen Umtrie-
ben, den Attentaten auf republikanische Politiker
mitsamt dem sich ausbreitenden Gefühl der Gefahr
von rechts, das wiederum die Linke zu militanten
Gegenaktionen herausforderte, während die ohn-
mächtige, von den Siegermächten anhaltend dis-
kreditierte und bedrängte Republik zusehends an
Glaubwürdigkeit und Anhang verlor. Er sei »ein
Mensch des Gleichgewichts«, hat Thomas Mann
von sich gesagt, was zugleich auch heißt, einer des
Widerspruchs zur Zeittendenz, und sein erasmi-
sches, auf Vermittlung und Ausgleich bedachtes
Temperament hat ihn immer wieder gerade an die
Seite der gefährdeten Sache gebracht.

Aber ganz ausreichend ist diese Deutung seiner
»Bekehrung« [41] vermutlich nicht. Etwas anderes
mag hinzugekommen sein. Schon in den erwähnten
Tagebuchnotizen meldet sich, zwischen allem Hohn

auf die Politik, die nicht zuletzt vom eigenen Erfolg getragene Einsicht, daß er, Thomas Mann, jener ausschließlich privaten Sphäre, in der die politischen Auffassungen nur persönliche Bedeutung haben, längst entwachsen und mehr als jeder andere, Gerhart Hauptmann vielleicht ausgenommen, zum Repräsentanten berufen sei. Die Geschichte aber hatte diesen Anspruch in einer ihm absurd erscheinenden Weise umgekehrt. Denn unversehens, mit der Revolution und dem Übergang zur Republik, hatte Heinrich, der so lange und echolos der literarische Anwalt des Neuen gewesen war, ihn vom vorderen Platz verdrängt, der überwältigende Erfolg des »Untertan« und, davon mitgezogen, des »Professor Unrat«, hatte das Gewicht des Bruders noch vermehrt, so daß Thomas plötzlich den Älteren wieder in dessen Erstgeburtsrecht eingesetzt sah. Es ist nicht auszuschließen, daß die unvermittelte Wendung zur Republik von dem Ehrgeiz herrührt oder doch befördert war, auch nach außen hin wieder an jene Stelle zu gelangen, die ihm einige Jahre lang unbestritten und nun dem »Bruder zur Linken« zugefallen war.

Eine ernste Erkrankung Heinrichs verschaffte Thomas Mann die Gelegenheit, dem Bruder endlich doch die von ihm selber mehrfach ausgeschlagene Versöhnung anzubieten. In einem Brief schrieb er ihm: »Es waren schwere Tage, die hinter uns liegen, aber nun sind wir über den Berg und werden besser gehen, – zusammen, wenn Dir's ums Herz

50

ist, wie mir.«[42] Während Heinrich überschwenglich einstimmte und ihm ausrichten ließ, sie wollten sich »nun – Meinungen hin und her – nie wieder verlieren«, machte Thomas sich jedoch »keine Illusionen über die Zartheit und Schwierigkeit des neu belebten Verhältnisses«, wie er wenige Tage später an Ernst Bertram berichtete: »Ein modus vivendi menschlich-anständiger Art wird alles sein, worauf es hinauslaufen kann. Eigentliche Freundschaft ist kaum denkbar. Die Denkmale unseres Zwistes bestehen fort ... Das Herz will sich mir umkehren, wenn ich höre, daß er (Heinrich) nach dem Lesen einiger Sätze im ›Berliner Tageblatt‹, in denen ich von Solchen sprach, die Gottesliebe verkünden und ihren Bruder hassen, sich hingesetzt und geweint habe.«[43]

Die wiederhergestellte Verbindung hat Thomas Mann die Wendung zur Republik sicherlich erleichtert, ob nun Repräsentationsehrgeiz oder die Neigung zur gewollt gegensteuernden, die eigene Vorstellungswelt entschlossen verleugnenden Parteinahme das stärkere Motiv bildete. Kein Zufall war aber offenbar, daß er den 60. Geburtstag Gerhart Hauptmanns zum Anlaß nahm, die Öffentlichkeit mit seiner politischen Wandlung bekannt zu machen, der eine Repräsentant neben dem anderen, beide in Anwesenheit des Reichspräsidenten, gefeiert von Ministern und Würdenträgern in einer Festversammlung großen Stils. Die Vermutung, daß Thomas Mann nicht aus innerster Überzeugung sprach, sondern sich erst selbst zu dieser Huldigung hatte überreden müssen, wird auch von dem gekünstelten Schwung des Redetextes, seinem juvenilen Adeptenton gestützt: fast jeder Satz offenbart nicht nur die Mühen der Selbstverleugnung, sondern auch die Distanz zwischen dem Autor und seinem Gegenstand. Zwar gilt die Rede als Thomas Manns bedeutendstes Bekenntnis zur Republik. Aber diese Kombinationen aus Walt Whitman, Novalis und »Vater Ebert«, aus Romantik und Humanität, Lust und Menschenbrust, sind weit eher Lyrik als Gedanke, eher Reim als Argument, und durchweg werden in dieser, wie in den weiteren, ähnlich gestimmten Reden aus späterer Zeit, die politischen Begriffe mit einer so souveränen Eigenmacht gehandhabt, daß den Zuhörern damit gewiß nicht mehr gesagt war, als daß hier einer guten, wenn auch weltfremden Willens war.

Dabei eigentlich blieb es immer. Stets aufs neue sieht man sich einem verwirrenden, vom subjektiven Belieben bestimmten Vokabular gegenüber, das Liberalismus, Konservatismus, Sozialismus und gelegentlich auch Kommunismus zu wilden Augenblickssehen zusammenführt: es ist und bleibt »Literatur« in einer dem Autor unvertrauten Sphäre. Aller Selbstbekehrungswille hob den Abstand zur Politik nicht auf. Immer bewegte er sich mit etwas linkischem Feinsinn am Rande des Getümmels, das heftige Fähnchenschwenken täuschte nicht darüber hinweg: er blieb der Betrachter, der noch im entschiedensten politischen Bekenntnis offenbarte, wie unpolitisch er war. Und es ist schwer vorstellbar, daß die später, während der Endphase der Republik, sich häufenden öffentlichen Auftritte, die immer dringlicher vorgetragenen Mahnungen zu Vernunft und Menschlichkeit, eine spürbare Resonanz in dem bürgerkriegsähnlich entzweiten, von Privatarmeen und laut lärmenden Demagogen widerhallenden Deutschland gehabt haben können.

Er habe versucht, hat Thomas Mann später, im Blick auf die Rede von 1922, gesagt, der Demokratie in Deutschland »einen Schimmer von Heimatlichkeit zu verleihen«.[44] Seine eigene Heimat wurde sie deshalb aber nicht. Gewiß wäre die Behauptung falsch, er habe sich aus dem Bedürfnis nach Anpassung und Repräsentanz lediglich demokratisch aufgeführt und folglich die Öffentlichkeit getäuscht. Aber in seiner republikanischen Rhetorik blieb, wie er schon von den »Betrachtungen« gesagt hatte, ebenfalls ein Rest von Rolle, Advokatentum und Spiel, ein Rest von Vorbehalt, und mit nur geringer Übertreibung ließe sich behaupten, er habe, sooft er ans Rednerpult trat, den Part einer seiner literarischen Figuren übernommen, während er in Wahrheit unentschieden irgendwo im Spannungsfeld zwischen ihr und ihren Gegenspielern verharrte. Man kann, was damit gemeint ist, am anschaulichsten durch einen Hinweis auf den in jenen Jahren entstandenen »Zauberberg« verdeutlichen, der im Grunde nichts anderes ist als die epische Umsetzung eben dieses Zwiespalts: in seinen politischen Äußerungen, die sich unmittelbar an die Öffentlichkeit richteten, trat Thomas Mann als ein naher Verwandter Settembrinis auf, während er im Innersten ein Hans Castorp mit undeutlichen Schwächen auch für Naphta blieb.

Denn so viele Deutungsmöglichkeiten »Der Zauberberg« auch zuläßt: auf den Kern reduziert ist er die Parabel eines Menschen, der sich dem leidenschaftlichen Disput zwischen den beiden beherrschenden Ideologien der Zeit aussetzt, um in einer Art von Experiment mit sich selbst herauszufinden, welche Seite am Ende überlegen sei. Verkörpert werden die beiden Positionen in Herrn Settembrini, dem Wortführer bürgerlich-aufgeklärter, liberaler Humanität, und in seinem Gegenspieler Naphta, dem Anwalt eines theokratischen, dogmengläubigen Totalitarismus, der die Welt vermittels Gewalt zum Heil einer »staats- und klassenlosen Gotteskindschaft« führen will. Ihre Spannung und eigentümliche Intensität bezieht die in ausgedehnten Dialogen dargestellte Auseinandersetzung eben aus der Figur des von beiden Seiten pädagogisch umworbenen Hans Castorp. Interessiert verfolgt er den Abtausch der Argumente, neigt situationsweise auch der einen oder anderen Seite zu, verharrt zuletzt aber, als »verschlagener Junge«, unschlüssig und mit der bloßen »Neugier eines Bildungsreisenden« auf seiner »ironischen«, man kann auch sagen: unpolitischen Position.

Daran ändert sich auch nichts durch das Dazwischentreten des wunderlich-großartigen Mynheer Peeperkorn, vor dessen majestätisch stammelnder Persönlichkeit aller Ideologenstreit ins Blasse, Künstlich-Erregte zurückfällt, während Hans Castorp sich unversehens einer dritten Möglichkeit, jenseits aller theoretischen Weltverbesserungskonzepte, gegenübersieht: der Suggestion des großen Mannes. Settembrini begreift schon frühzeitig Castorps zögernde, vor aller Entscheidung und Parteinahme zurückweichende Haltung. »Sie wollen sagen«, hält er ihm einmal entgegen, »daß Sie es so ernst nicht gemeint haben, daß die von Ihnen vertretenen Anschauungen nicht ohne weiteres die Ihren sind, sondern daß Sie gleichsam nur eine der möglichen und in der Luft schwebenden Anschauungen aufgriffen, um sich unverantwortlicherweise einmal darin zu versuchen.« Castorp wiederum relativiert Settembrinis Auffassungen mit der Bemerkung, dieser sei »nur ein Vertreter – von Dingen und Mächten, die hörenswert waren, aber nicht allein, nicht unbedingt«. [45]

Thomas Mann hat sich, in den zahlreichen kommentierenden Bemerkungen zum »Zauberberg«, in keiner dieser Gestalten ganz erkennen wollen; nicht in Naphta, vor dessen »boshaftem Dunkelmännertum« ihm graue [46], wie er einmal schrieb, obwohl hinzuzufügen wäre, daß dessen Position, partienweise jedenfalls, die ins Radikale ausgezogene Linie der »Betrachtungen« wiedergibt; aber auch nicht in dem eifernden Weltbeglücker Settembrini, der sich in seiner unversiegend sprudelnden Eloquenz unverdrossen selbst bloßstellt und exemplarisch offenbart, wie leicht die Formeln von Völkerfrieden, Freiheit und Humanität ihren entschlossensten Anwälten von den Lippen kommen. Für seine »Komik«, meinte Thomas Mann, habe er immer »entschieden Sinn« gehabt; es war noch einmal Heinrich, aber nun zur Romanfigur geworden, die Sympathie, auch Einverständnis verdiente und in der die einstige Gegnerschaft in Literatur aufgehoben und verwandelt war. »Am ehesten möchte ich mich noch mit Hans Castorp identifizieren«, hat Thomas Mann in einem Interview, bald nach Erscheinen des Romans, auf eine entsprechende Frage wie beiläufig erklärt, und anschließend, nicht ohne auffällige Eile, das Thema gewechselt.[47] Denn Hans Castorp war nichts anderes als die zur Romanfigur verdichtete Erscheinungsform des unpolitischen Betrachters, die Personifizierung seiner ureigensten, um der politischen Vernunft willen öffentlich zwar verleugneten, doch niemals aufgegebenen Wahrheit von einem »Menschentum ... von dem es sich in Deutschland vielleicht noch immer am besten träumen läßt, (und) das weder Liberalismus noch Faschismus und Bolschewismus ist«.[48]

Die Absicht, sich aus den Kämpfen der Zeit herauszuhalten und, bis zur Mißdeutbarkeit, einen Standort zwischen den Fronten zu behaupten, ist sicherlich auch für seine fast vier Jahre lang durchgehaltene Weigerung mitbestimmend gewesen, sich vom Exil aus öffentlich gegen das Dritte Reich zu erklären. Er selbst hat dieses Verhalten, das im Kreise der Emigranten soviel Unverständnis wie Anstoß erregte, mehrfach mit der Rücksicht auf seine Leser in Deutschland begründet. Die Vorwürfe, denen er sich gegenübersah, ließen jedoch sämtlich außer acht, daß er, der Ideologe des Vorbehalts, trotz aller tiefeingewurzelten Scheu vor Gesinnungsgeständnissen und seiner nie überwundenen Aversion gegen die Politik, der einzige deutsche Schriftsteller von Rang war, der sich immer wieder nachdrücklich zu der dahinkrankenden und bedrohten Republik bekannt hat. Weder der pompös schweigende Gerhart Hauptmann noch all die Döblin, Feuchtwanger und Wassermann oder die später so redselig klagenden Linken von Anna Seghers bis Bertolt Brecht haben jener Republik, die schon in Furcht und Elend überging, mehr als ihre Gleichgültigkeit oder ihren Zynismus gegeben, und jedenfalls hat keiner ihr den Beistand gewährt, den ihr der Unpolitischste von allen geleistet hat.

Mit dem berühmten Neujahrsbrief von 1937 hat Thomas Mann schließlich seine Zurückhaltung aufgegeben: »Ich habe es mir nicht träumen lassen«, schrieb er, »es ist mir nicht an der Wiege gesungen worden, daß ich meine höheren Tage als Emigrant, zu Hause enteignet und verfemt, in tief notwendigem politischen Protest verbringen würde. Seit ich ins geistige Leben eintrat, habe ich mich in glücklichem Einvernehmen mit den seelischen Anlagen meiner Nation, in ihren geistigen Traditionen sicher geborgen gefühlt. Ich bin weit eher zum Repräsentanten geboren als zum Märtyrer, weit eher dazu, ein wenig höhere Heiterkeit in die Welt zu tragen, als den Kampf, den Haß zu nähren. Höchst Falsches mußte geschehen, damit sich mein Leben so falsch, so unnatürlich gestaltete. Ich suchte es aufzuhalten nach meinen schwachen Kräften, dies grauenhaft Falsche, – und eben dadurch bereitete ich mir das Los, das ich nun lernen muß, mit einer ihm eigentlich fremden Natur zu vereinigen.« [49]

Der Brief macht das tiefe Dilemma deutlich, dem Thomas Mann auszuweichen versuchte und mit dem er von nun an zu leben hatte: daß er die moralische Übereinstimmung mit sich selbst nur herstellen konnte durch einen Akt der intellektuellen Selbstpreisgabe. Hatte er in den zurückliegenden Jahren, in seinen Bekenntnissen zur Republik, wie versteckt auch immer, seinem Hang zur Zweideutigkeit gelegentlich noch nachgegeben, so sah er sich jetzt zu einer Entschiedenheit gezwungen, die keinen Rest von ironischem Vorbehalt, keinen Zweifel mehr erlaubte. Für ihn war das die Widernatur, oder genauer: der Widergeist selbst.

Aber die Umstände ließen ihm keine Wahl: »Hitler hatte den großen Vorzug«, hat er 1946, in den Aufzeichnungen über »Die Entstehung des Doktor Faustus«, bemerkt, »eine Vereinfachung der Gefühle zu bewirken, das keinen Augenblick zweifelnde Nein, den klaren und tödlichen Haß.«[50] Überdeutlich war ihm bewußt, daß diese Vereinfachung ihn nicht mehr und nicht weniger kostete als einen Teil der eigenen Identität. An eine amerikanische Briefpartnerin schrieb er im Dezember 1940 unglücklich, er sei nicht zum Haß geboren: »Dieser ist mir aufgezwungen worden und hilft mir nicht, ich selbst zu sein.«[51] Wie tief der Abscheu über die Verbrechen des Hitlerregimes in den mit großem Ernst absolvierten Radioansprachen und Reden aus der Kriegszeit auch durchschlagen mochte: noch tiefer scheint häufig die Erbitterung darüber zu reichen, daß Hitler jene alte, dem Dichter so wesensgemäße Welt zerstört hatte, in der noch das Menschenrecht galt, unpolitisch zu sein. Und wo es nicht Erbitterung war und Haß, war es Depression. An René Schickele schrieb er: »Wir sind Fremdlinge« in dieser neu heraufziehenden Zeit, »und haben am Ende zu resignieren. Ich jedenfalls habe längst angefangen, mich historisch zu betrachten, als überständig aus einer anderen Kulturepoche, die ich im Individuellen zu Ende führe, obgleich sie eigentlich schon tot und versunken ist.«[52]

Die Vorstellung, verspätet und der eigenen Zeit entfremdet zu sein, die das alte Außenseitergefühl auf anderer Ebene wiederholte, aber auch die Freiheit des Alters, hat ihn vermutlich dazu gebracht, sich mit zunehmender Offenheit zu seinen Anfängen zu bekennen. Jedenfalls scheint es, als habe er um so eigensinniger auf der einstigen, aus Romantik, Wirklichkeitsfremdheit und Politikverachtung gemischten Vorstellungswelt beharrt, je entschiedener er sie als öffentlicher Anwalt von Freiheit, Demokratie und Menschenrecht verleugnete. In seinen Briefen distanzierte er sich immer wieder von seinem politischen Predigertum, den demokratischen »Gutmütigkeiten«. An Ferdinand Lion beispielsweise schrieb er nach dem Kriege: »Meine demokratische Attitüde ist nicht recht wahr, sie ist bloße Gereiztheitsreaktion auf den deutschen Irrationalismus und Tiefenschwindel ... und auf den Faschismus überhaupt, den ich nun einmal wirklich und ehrlich nicht leiden kann. Er hat es fertig gebracht, mich zeitweise zum demokratischen Wanderredner zu machen, – eine Rolle, in der ich mir oft wunderlich genug vorkam. Ich fühlte immer, daß ich zur Zeit meines reaktionären Trotzes in den ›Betrachtungen‹ viel interessanter und der Platitüde ferner gewesen war.«[53]

Das Bewußtsein, von der Zeit und ihren Frontstellungen zu einer Art gesinnungstreuer Torheit gezwungen zu sein, hat ihn nie ganz verlassen. Doch sollten die Zugeständnisse so gering wie möglich sein. Infolgedessen führte er nur fort, was er in den frühen zwanziger Jahren schon begonnen hatte: die Trennung von politisch-rhetorischer und schriftstellerischer Sphäre. Der Widerstand, den Hitler ihm abnötigte, machte den Unterschied nur sichtbarer, verschärfte ihn auch, änderte aber nichts.

Auch dies war Galeerenarbeit. Seine Grundüberzeugungen jedenfalls und seine Vorzugsthemen, die Neigung zu Verfall, Musik, Todesstimmung, zur Ironie als Mittler zwischen Geist und Leben oder die Vorstellung, daß die Politik der deutschen Kunsttradition fremd sei: das alles hat er dafür nicht preisgegeben. Der deutsche Beitrag zur großen Kunst des 19. Jahrhunderts, schrieb er beispielsweise im Jahre 1940, »weiß vom Gesellschaftlichen nichts und will nichts davon wissen; denn das Gesellschaftliche ist ... überhaupt nicht kunstfähig ...: so will es der deutsche Geist; es ist sein Instinkt, lange vor jeder bewußten Entscheidung«. Selbst den Krieg ordnete er in diesen Zusammenhang ein; er werde geführt, fuhr er fort, für »ein entpolitisiertes Europa, in dessen Atmosphäre allein Deutschland groß und glücklich sein kann«. [54]

Die Sätze entstammen einem offenen Brief an den Herausgeber der Zeitschrift »Common Sense« zur Problematik der Beziehung zwischen Richard Wagner und dem Nationalsozialismus. Schon drei Jahre zuvor, als ihm die fatalen politischen Konsequenzen vorgehalten wurden, die mit dem Namen Wagners verbunden, von diesem zum Teil sogar vorausgedacht worden seien, entgegnete er zustimmend: »Ich weiß Bescheid.« Die Frage war, wieweit er selber, der aus eben dieser Tradition kam und ihr großer Vermittler war, in diesen Katastrophenzusammenhang einzuordnen oder aber zur Lossage davon bereit sei. Vorerst antwortete er, auf

Wagner zurückkommend: »Aber welches Niveau, welche Kunst, welche Humanität immer noch! Es ist eben doch noch das alte, große Deutschland, wenn auch schon auf der Kippe – und schließlich, was wollen Sie, das ist meine Heimat, ich werde gerührt, wenn ich darauf komme.« Und dann wiederum und trotz allem das Bekenntnis: »Am Ende bin ich der Verfasser der ›Betrachtungen eines Unpolitischen‹, war es nicht nur, sondern bin es.«[55]

Thomas Mann hat die geistige Teilhaberschaft an den Tendenzen, die, wie entfernt und mittelbar auch immer, zur Herrschaft des Nationalsozialismus führten, nie geleugnet. Schon der vielfach als skandalös empfundene Essay von 1938, »Bruder Hitler«, war ein bis an die äußerste Grenze geführter, alle Emigranten-Selbstgerechtigkeit meidender Versuch, den gemeinsamen Kulturhintergrund, das peinigende Verwandschaftsgefühl zu dem aufzudecken, der die Welt mit immer neuen Übergriffen, Rechtsbrüchen oder Kriegsdrohungen in Schrecken und Angst hielt: »Ich war nicht ohne Kontakt mit den Hängen und Ambitionen der Zeit«, heißt es da, »und mit dem was kommen wollte und sollte, mit Strebungen, die zwanzig Jahre später zum Geschrei der Gasse wurden.«[56] In einem Vortrag nach dem Zusammenbruch des Hitlerregimes, Ende Mai 1945, über das Thema »Deutschland und die Deutschen« hat er diesen Gedanken noch erweitert und präzisiert: »Eines mag diese (deutsche) Geschichte uns zu Gemüte führen: daß es nicht zwei Deutschland gibt, ein böses und ein gutes, sondern nur eines, dem sein Bestes durch Teufelslist zum Bösen ausschlug. Das böse Deutschland, das ist das fehlgegangene gute, das gute im Unglück, in Schuld und Untergang. Darum ist es für einen deutsch geborenen Geist auch so unmöglich, das böse, schuldbeladene Deutschland ganz zu verleugnen und zu erklären: ›Ich bin das gute, das edle, das gerechte Deutschland im weißen Kleid, das böse überlasse ich euch zur Ausrottung‹. Nichts von dem, was ich Ihnen über Deutschland zu sagen oder flüchtig anzudeuten versuchte, kam aus fremdem, kühlem, unbeteiligtem Wissen; ich habe es auch in mir, ich habe es alles am eigenen Leibe erfahren.«[57]

Zum politischen Schriftsteller in irgendeinem begründbaren Sinne haben die Erfahrungen und Einsichten seiner achtzig Jahre ihn aber nicht gemacht; es gibt in einem strengeren Sinne keine Entwicklung, keine Bekehrung, keinen Parabelweg. Bis in diese späten Jahre bleibt unverändert zutreffend, was Heinrich Mann schon 1927, nicht ohne ein Gefühl verwirrten Staunens, über seinen Bruder bemerkt hat: daß Thomas »seine ungeheure Popularität nicht mit Konzessionen erkauft hat. Er ist von seiner angeborenen geistigen Haltung niemals auch nur um einen Millimeter abgewichen.«[58] Die turbulenten Ereignisse der Epoche jedenfalls, die seinen Lebensweg begleiteten und erschütterten, haben weder die tieferen Schichten seines Wesens noch sein Werk je erreicht, sondern nur seine Bereitschaft geweckt, in »verantwortungsvoller Ungebundenheit« zu tun, was er als seine Pflicht erkannte. Noch im »Doktor Faustus«, der doch ein großes, auch und gerade politisch gemeintes Gleichnis deutscher Verirrung und deutschen Scheiterns erzählt, blieb er seiner frühen Neigung zu den »aristokratischen Monstren« treu, bei deren Anblick »das Volk dumme Gesichter macht«[59], wie er, Jahre zurück, beißend gehöhnt hat, mitsamt den kostbaren Antinomien von Kunst und Leben, Genie und Krankheit, Sünde und Begnadung. Durch allen Schauder, alles starre Entsetzen, das die Erzählung dieses Lebenswegs erfüllt, ist gleichzeitig immer auch das kaum unterdrückbare Glücksgefühl des Autors darüber heraushörbar, nach so vielen Umwegen, so vielen »höheren Scherzen«, wieder ein tragisches, von Dämonie, Teufelswerk und geistiger Ausschweifung, von Musik und Theologie handelndes, mit einem Wort: das Deutsche als Sonderfall deutendes Werk vor sich zu haben.

Auch dies kam nicht aus unbeteiligtem Wissen. Vielmehr ist der »Doktor Faustus«, mehr als jedes andere Werk des Dichters, ein verschlüsseltes Bekenntnis zu dem, woran er über alle Forderungen des Tages hinweg beharrlich festgehalten hat, ein Stück geistiger Autobiographie. Infolgedessen gingen auch jene frühen, die politischen und persönlichen Spannungen der Zeit widerspiegelnden Einwände in die Irre, die in dem Buch, auf wie verdeckte Weise auch immer, eine Lossage vom Land

Seine äußere Erscheinung, der Zug ins
Hochgeknöpfte, korrekt Manierliche und
fast Beamtenhafte war immer zugleich
auch Maskerade: Thomas Mann 1906.

Zeit seines Lebens getrieben von der
Sehnsucht, »Herr der Gegensätze« zu
sein: Thomas Mann im Jahre 1946.

seiner Herkunft oder doch einen Schuldspruch über das deutsche Wesen schlechthin sahen. »Etwas vom Faust hat jeder bessere Deutsche«, schrieb Thomas Mann während der Arbeit an dem Roman in einem Brief. Und in einem Gespräch mit Leonhard Frank ging er noch weiter »und gestand ihm, daß ich nie eine Imagination, weder Thomas Buddenbrook, noch Hans Castorp, noch Aschenbach, noch Joseph, noch den Goethe von ›Lotte in Weimar‹ – ausgenommen vielleicht Hanno Buddenbrook – geliebt hätte wie ihn. Ich sprach die Wahrheit. Buchstäblich teilte ich die Empfindungen des guten Serenus für ihn, war sorgenvoll in ihn verliebt von seinen hochmütigen Schülertagen an, vernarrt in seine ›Kälte‹, seine Lebensferne, seinen Mangel an ›Seele‹, ... in sein ›Unmenschentum‹ und ›verzweifelt Herz‹, seine Überzeugung, verdammt zu sein.« [60] Und etwas später spricht er davon, daß Leverkühn selbst wie auch sein Chronist Serenus Zeitblom »viel zu verbergen haben, nämlich das Geheimnis ihrer Identität«. Dahinter verbarg sich niemand anderes als er selber.

Auch der »Doktor Faustus« stand folglich in der unmittelbaren Nachfolge der »Betrachtungen«, noch einmal ein Parallelwerk zu dem frühen Buch. Der aus der ersten Nachkriegsausgabe der Gesammelten Werke verschämt ausgeschiedene Riesenessay ist denn auch in Bedeutung und programmatischem Rang kaum zu überschätzen. Thomas Manns Tochter Erika hat in ihrer Einführung zu der später

65

gesondert publizierten Ausgabe der »Betrachtungen« nicht ohne genierte Beschönigungsabsicht geäußert, das Buch selber enthalte bereits in seiner Vorrede, die der Autor der ersten Ausgabe von 1918 hinzugefügt habe, »so viel härteste Selbstkritik, so viel Einschränkung, ja Zurücknahme«, daß ein Mißverstehen dessen, was »hier ein im politischen Denken noch Ungeübter in verwirrend jähem Wechsel nach außen und gegen sich selbst« geäußert habe, kaum noch möglich sei.[61] Doch betreffen die Zurücknahmen nur einige aktuell-politische Überspitzungen, und in Wirklichkeit sind die »Betrachtungen eines Unpolitischen« gerade nicht ein Zeugnis der Verirrung, sondern das genaueste, über die Jahre hin treffend gebliebene Selbstporträt, weniger Zeit- als Lebensdokument und der unentbehrliche Schlüssel zu jedem genaueren Verständnis von Person und Gesamtwerk Thomas Manns.

Er selber hat es nicht anders gesehen und dem retuschierenden Vorspruch der Tochter vermutlich nur deshalb zugestimmt, weil er darauf hinauslief, jenen vielfach so verwirrend empfundenen Widerspruch zwischen den »Betrachtungen« und seinen republikanischen Plädoyers aufzuheben. Denn hier wie dort hatte er jene Position der Mitte behauptet, die für ihn gleichbedeutend war mit der Idee der Humanität selber. Wer in allem scheinbaren Überzeugungswechsel, allen politisch-pädagogisch gemeinten Verschiebungen nach einem festen Punkt sucht, wird ihn hier finden. Um dieser Idee willen war er zu jedem Zugeständnis an die Formen staatlicher oder sozialer Organisation bereit, sie waren lediglich Bauelemente. Hatte er noch 1918 die Sache der Humanität am sichersten im deutschen Obrigkeitsstaat bewahrt gesehen, so bekannte er vier Jahre später, in seiner Rede »Von deutscher Republik«, er wolle die Jugend für das gewinnen, »was Demokratie genannt wird und was ich Humanität nenne, aus Abneigung gegen die humbughaften Nebengeräusche, die jenem anderen Worte anhaften«; ausdrücklich hatte er eingeräumt, daß er diese Abneigung teile.[62]

In alledem kam wiederum sein Grundbedürfnis nach Balance und Mittlertum zum Vorschein. Zur Zeit der »Betrachtungen« schien ihm das Gleichgewicht vom Westen her, durch den Triumph des demokratischen Prinzips, in Frage gestellt, später durch den deutschnationalen Irrationalismus – und immer hatte er sich, offen auch für problematische Haltungen, auf alles eingelassen, jede Sphäre »erkundet«. Ein politischer Mensch, ein politischer Schriftsteller, sei es nach der Art seines Bruders, sei es gar im Sinne des zänkischen Parteigängertums der Gegenwart, wird in alledem nicht erkennbar; aber doch einer, ohne dessen Vermittlungsbemühung, dessen Ausgleichsbereitschaft kein politisches Gemeinwesen bestehen kann, wie überholt und einer anderen Epoche zugehörig seine Erscheinung sich unterdessen auch ausnehmen mag.

In jene zurückliegende Zeit, als der Geist um der politischen Vernunft und sozialen Nützlichkeit willen noch keine Zugeständnisse an die »Platitüde« zu machen hatte, sehnte er sich eigentlich immer zurück. Mit der Katastrophe des Hitlerreiches verband er die Hoffnung auf das Ende einer ideologisch erregten, von Haß und Unduldsamkeit geprägten Epoche. Die aus dem Tagebuch über »Die Entstehung des Doktor Faustus« zitierte Eintragung, in der er Hitler den großen Vorzug attestiert, eine Vereinfachung der Gefühle bewirkt zu haben, schließt mit den Worten: »Die Jahre des Kampfes gegen ihn waren moralisch gute Zeit.« [63]

Aber zugleich wohl auch eine ihm zutiefst fremde Zeit, und man kann aus diesen Worten unschwer die Erleichterung heraushören, daß nun, nach dem Untergang Hitlers, vielleicht doch wieder möglich würde, womit für ihn zeitlebens alle Literatur und nicht zuletzt die eigene Existenz untrennbar verhaftet waren: Spiel, Ironie und die unverbindlich abenteuernde Freiheit der Kunst. Erich Heller hat herausgefunden, daß Thomas Mann in dem erwähnten, als kritische Rechenschaft gemeinten Essay »Deutschland und die Deutschen« ganze Passagen aus den »Betrachtungen eines Unpolitischen« eingefügt hat, ohne sie freilich als Zitat kenntlich zu machen; [64] nur die Vorzeichen wurden vertauscht, die Zusammenhänge abgewandelt – und man stellt sich den Dichter vor, wie er, selbst noch im Schmerz über Unglück und Schuld seines Landes, dem unwiderstehlichen Hang zum Zweideutigen nachgibt und seine versteckten Späße treibt, indem er die Irrtümer von einst zwar preisgibt, sich aber gleichzeitig, durch die wortwörtliche Übernahme, in parodistischer Sympathie zu ihnen bekennt. In der einige Jahre später, gegen Ende seines Lebens geschriebenen »Phantasie über Goethe« finden sich die Sätze:

»Wenn er die Freiheit für schlecht aufgehoben erachtete in den Händen der Unfreien, so gönnte und nahm er selbst sich desto reichlicher davon, – eine umfassende, ins Ungreifbare, Undefinierbare entgleitende Freiheit, die Freiheit des Proteus, der in alle Formen schlüpft, alles zu wissen, alles zu verstehen, alles zu sein, in jeder Haut zu leben verlangt ... Es ist da eine Art von souveräner Treulosigkeit, der es Spaß macht, die Anhänger im Stich zu lassen, die Partisanen jedes Prinzips zu beschämen, indem man es vollendet – und das andere auch. Ja, es ist etwas wie Weltherrschaft als Ironie und heiterer Verrat des einen an das andere, und ein tiefer Nihilismus, der zum Scheiden und Werten unwillige Objektivismus der Kunst ..., ein Element der Fragwürdigkeit, der Verneinung und des umfassenden Zweifels, das ihn, wenn wir seiner Umgebung glauben dürfen, gern Sätze sprechen ließ, die gleich den Widerspruch auch schon enthalten.«[65]

Es war ein Selbstporträt, wenn auch zum Idealbild erhöht. Denn so hatte er immer sein wollen:

ins Ungreifbare entgleitend, von souveräner Treulosigkeit, bereit zu heiterem Verrat und umfassen-
dem Zweifel. Statt dessen hatte die Zeit ihn enga-
giert und zum Partisanendienst gezwungen. Aber
nahe, immerhin, war er dem Bilde, wie er es von
Goethe entworfen hatte, gekommen. Der Rest war
eifersüchtige Bewunderung.

Heinrich Mann
Ein Unpolitischer wird besichtigt

> »Die Ahnung, daß bald für tiefe
> Schwärmereien keine Gelegenheit
> mehr sein werde,
> ließ mich vielleicht diese ergreifen.«
>
> Heinrich Mann

KAUM EIN SCHRIFTSTELLER IST MIT SEINEM WERK
so vielen Legenden und Mißdeutungen ausgesetzt
wie Heinrich Mann. Seine Anwälte, die ihn zur
Größe reden, sprechen von »verhinderter Öffentlichkeit« und nennen ihn verkannt, von einer Gesellschaft um Rang und Erfolg betrogen, die sich, über
die Jahre und allen Wandel hin, in anhaltender bourgeoiser Widersetzlichkeit gegen ein Lebenswerk
sträubt, das ihr Wesen bloßgestellt hat: »Der arme
Heinrich«, wie ihn einer seiner larmoyanten Eiferer
sieht.[2] Die Politik, so heißt es, die er, vom welt-
flüchtigen Ästhetizismus der frühen Jahre Abschied
nehmend, als das Schicksal erkannte, sei ihm selber
dazu geworden. Dem Bild, das eine traditionell un-
politische Nation vom Dichter besitzt, komme der
politisch indifferente, in Menschheitsthemen auswei-
chende Thomas Mann weit stärker entgegen als dessen »Bruder zur Linken«.

Die Verkanntheitslegende geht noch auf Heinrich Mann selber zurück. Vereinsamt im ameri-
kanischen Exil, »müde von Jahren und Erlebnis-
sen«, bezeichnete er sich in einem Brief vom Juli
1949 als »einen aus dem Verkehr entfernten Autor«[3]

73

und hoffte, das Beispiel Stendhals vor Augen, auf seine Wiederentdeckung nach dreißig Jahren. Tatsächlich geht die Auflage seiner bekanntesten Romane inzwischen in die Hunderttausende, doch zu einer wirklichen Aneignung seines Werkes ist es nicht gekommen; eine Art Fremdheit blieb. Doch sollte man sie nicht vorschnell auf die Renitenz einer konservativ gestimmten Öffentlichkeit gegen den »Ahnherrn des linken literarischen Aktivismus« zurückführen. Womöglich haben die Vorbehalte weit mehr mit der Zeitgebundenheit des Werkes selber zu tun, und die Widerstände dagegen viel eher literarische als politische Motive. Der Fall Brecht beispielsweise lehrt, daß eine Schriftstellerei, die weit polemischer und parteigebundener ist, es dennoch zu Ruhm und größter Popularität bringen kann.

Denn es handelt sich, wohin man blickt, um ein hochgradig absichtsvolles Werk. Immer ist darin ein angespannter ästhetischer oder moralischer Wirkungswille erkennbar, eine äußerste Forciertheit, die alles steigert und auf die Spitze treibt, und kaum je jedenfalls hat Heinrich Mann ein aus dem bloßen epischen Grundvertrauen kommendes, die erzählerische Substanz wie selbstverständlich entfaltendes Werk verfaßt. Seine Neigung zum Outrierten hat ihn Spracheroberungen von eindrucksvoller Kühnheit und Kraft machen lassen, aber auch zu jenen grellen, alle psychologischen Kompliziertheiten leugnenden Vereinfachungen geführt, in denen sich wenig mehr als der Wille zur pädagogischen Parabel behauptet. Aus diesem Grunde auch hat er zwar eine Schule gebildet und literarische Parteigänger gehabt, aber, von kurzen Perioden abgesehen, kein Publikum; sein Einfluß war größer als sein Erfolg. Gottfried Benn, für seine Generation sprechend, nannte ihn zu Beginn der dreißiger Jahre, als das Werk Heinrich Manns der breiteren Öffentlichkeit schon wieder verlorenging, »den Meister, der uns alle schuf«.[4]

Dieser Virtuose des Ausdrucks, der Wortspieler und Sprachartist, dem Gottfried Benn huldigte, ist der eigentlich vergessene Heinrich Mann; und der Teil seines Werkes, der die deutsche Sprache zur Kunstprosa erweitert hat, ist dem literarischen Bewußtsein abhanden gekommen wie so vieles im Bruch der Kontinuität. Wie beherrschend und bis ins Persönliche reichend sein Stilisierungswille war, wird unter anderem daran deutlich, daß er nicht nur einzelne frühe Werke für eine Neuausgabe überarbeitet, sondern auch in allen Selbstzeugnissen seine schriftstellerische Biographie retuschiert hat: »Bis zu meinem 28ten Jahre«, versicherte er in einer autobiographischen Notiz von 1911, »habe ich kaum geschrieben. Ich weiß nicht mehr, wie ich mir damals die Zukunft dachte; wohl garnicht.«[5]

Doch die beruflichen Auseinandersetzungen mit dem Vater, auch die Impressionen und Novellen, die er schon mit vierzehn Jahren zu schreiben begann, offenbaren das Gegenteil. Sie verbinden, nicht

anders als die Aufsätze der frühen Jahre, ein Außenseitergefühl gegenüber der bürgerlichen Gesellschaft aufs widersprüchlichste mit der Übernahme
bürgerlich-literarischer Konventionen, verwerfen den
Naturalismus Gerhart Hauptmanns ebenso wie
Maupassant oder Zola und halten ihnen Gustav
Freytag oder Victor von Scheffel entgegen. Heinrich
Manns erster, im Alter von dreiundzwanzig Jahren
verfaßter Roman »In einer Familie« (1894), eine
am Vorbild der »Wahlverwandtschaften« orientierte Ehebruchsgeschichte, die einiges kompositorische Geschick und eine frühentwickelte psychologische Einfühlungsgabe verrät, findet bezeichnenderweise zu einem versöhnlichen Ende und entläßt
mit dem Schlußsatz, nach allen Verwirrungen des
Gefühls, das eine der beiden Paare in »das echte,
stetig geordnete, einträchtige und in seinem unscheinbaren Frieden so inhaltsreiche Leben in einer
Familie«.

Verleugnet oder durch Umdatierungen biographisch gelöscht hat Heinrich Mann darüber hinaus
aber auch einen frühen Novellenband sowie vor
allem die anderthalb Jahre, in denen er, inzwischen
vierundzwanzig Jahre alt, Herausgeber einer militant völkischen Zeitschrift war, die unter dem Titel
»Das 20. Jahrhundert. Blätter für deutsche Art und
Wohlfahrt« erschien. Wie schon der Familienroman
zu erkennen gegeben hatte, ließ er den Pessimismus
der frühen Jahre fallen und entwickelte, vor allem
im Anschluß an die Anschauungen des französischen

Romanciers und Kulturkritikers Paul Bourget, die Grundlagen einer »gesunden« Gesellschaft: Herrscherhaus, Adel, Familie; eine entschlossene Kriegsmoral und rassisches Selbstbewußtsein. Er verhöhnte die Liberalen und attackierte die Sozialdemokraten, nannte die Republik die »einfältige Nachäffung« fremder Verhältnisse und sagte in einem Artikel unter der Überschrift »Jüdischen Glaubens« den Untergang der Kultur voraus, solange man die Juden, »die wilden Tiere im freien Spiel der Kräfte, duldet, anstatt sie auszurotten oder in Käfige zu sperren«. [6]

Das strikte Schweigen, das Heinrich Mann in dieser Sache lebenslang gewahrt hat, macht es schwer zu sagen, worauf die sonderbare Jugendepisode zurückzuführen ist. Literarische Einflüsse mögen daran mitgewirkt haben, aber auch der Ehrgeiz, sich durch die Stellung als Herausgeber gesellschaftlich auszuweisen: das schlechte Gewissen des entlaufenen Bürgersohnes, der dem Vater in einem Akt verspäteten Trotzes das Unrecht demonstrieren wollte, das ihm durch den Testamentsvorwurf widerfahren war, er neige zu »träumerischem Sichgehenlassen« und besitze keine der Voraussetzungen zu erfolgreicher literarischer Tätigkeit. [7] Das Empfinden des Umwegs und der Abhaltung vom eigentlichen Lebensplan hat ihn dabei sicherlich begleitet. Um so durchschlagender dann, nach Jahren der Selbstzweifel, der apathischen Zustände, aber auch der philosophischen Studien und

Verpuppungsprozesse vor allem im Zeichen Nietzsches, das befreiende Gefühl inspirierten Anfangs, dessen Euphorie noch in der Erinnerung, rund fünfzig Jahre später, nachklingt: »1897 in Rom, Via Argentina 34, überfiel mich das Talent, ich wußte nicht, was ich tat. Ich glaubte, einen Bleistiftentwurf zu machen, schrieb aber den beinahe fertigen Roman. Mein Talent ist in Rom geboren, nach dreijähriger Wirkung der Stadt.«[8]

Das Werk, mit dem Heinrich Mann seine literarische Biographie seither beginnen ließ, war »Im Schlaraffenland« und im strengeren Sinne eigentlich nicht, was der Begriff des Romans besagt: keine durchkomponierte, entwickelte Geschichte, sondern ein satirisch überzeichnetes Pandämonium von Großplebejern und entfesselten Vorstadtmachiavellisten, von Spekulanten, Opportunisten und Hochstaplern, die aber sämtlich, allem auftrumpfenden Getue zum Trotz, an den Schnüren eines einzigen Mannes zappeln, des Bankiers und Finanzpotentaten James L. Türkheimer. In ihm hat der romantische Antikapitalismus, auf den Heinrich Mann einige Jahre später und dann auf Dauer zurückkam, einen ersten, ins Weltverschwörerische reichenden Kolossaldämon geschaffen: die vulgäre, schlagflüssige Abart des Übermenschen, gedacht als bourgeoises Zerrbild der von Nietzsche entworfenen Idee. In radikaler Abkehr von den einstigen Positionen demaskierte der Verfasser mit dem Personal des Buches, den Geschäftemachern, den Adligen und den proletarischen Randfiguren, zugleich die gesamte bürgerliche Ordnung: Staat, Familie, Religion, den Katalog moralischer Imperative überhaupt, auch Kunst und Literatur, und entdeckte überall nur Heuchelei und Eigensucht, den ordinären Luxus von Neureichen, Kokottenwirtschaft und hechelnde Promiskuität. In seinem standortlosen, im Grunde nihilistischen Entlarvungsfuror ist das Werk denn auch nicht der »soziale Zeitroman«,[9] den Heinrich Mann hatte schreiben wollen, sondern viel eher das Zeugnis einer Orientierungskrise des Autors selber, zumal nicht selten der Eindruck sich einstellt, er sei von der Welt, deren üppig drapierte Nacktheit er enthüllt, weit stärker überwältigt, als es irgendeinem kritischen Vorsatz zuträglich wäre; er selber hat das mit dem Hinweis begründet: »Gute Satiren schrieb nie jemand, er hätte denn irgendeine Zugehörigkeit gehabt zu dem, was er dem Gelächter preisgab: ein Apostat oder ein Nichteingelassener. In Satiren ist Neid und Ekel, aber immer ein gehässiges Gemeinschaftsgefühl.«[10]

Dieser doppelte Blick, der nicht selten zugleich bewundert, was er bloßstellt, hat, weit auffälliger noch, die folgende Phase im Frühwerk Heinrich Manns bestimmt. Gewiß wäre vom »Schlaraffenland« aus der entschlossene Schritt in die Gesellschaftskritik denkbar gewesen, in die Nachfolge Balzacs oder doch Zolas. Aber zu unfertig, zu sensitiv und anfällig für äußere Einflüsse, ist Heinrich Mann zunächst der vorherrschenden Tendenz gefolgt, die überdies seiner Begabung wie seiner Persönlichkeitsformel eigentümlich entgegenkam: der Verbindung aus Kraft und Unschlüssigkeit, Artistentum und moralischem Zweifel, aus morbidem Sensualismus und dem Leiden daran.

Von einer der Figuren aus seiner Koterie wird James L. Türkheimer einmal »ein Eroberertypus, ein Renaissancemensch« genannt und damit ein Stichwort eingeführt, das mit der geistesgeschichtlichen Szenerie des ausgehenden Jahrhunderts aufs engste verbunden ist. Die Namen von Conrad Ferdinand Meyer und Jakob Burckhardt, von Paul Heyse, Ricarda Huch, Arnold Böcklin und Hans Makart bis hin zu Graf Gobineau und Gabriele d'Annunzio veranschaulichen eine in Wissenschaft, Literatur und bildender Kunst gleichermaßen hervortretende Zuwendung zum 15. und 16. Jahrhundert, die durch Nietzsche vehement aktualisiert und von den Interpretenscharen in seinem Gefolge zu einer schwärmerischen Renaissanceraserei ausgeweitet worden war; es schien, als repetiere das alte Europa im Anschluß an den durch die Romantik erweckten Kult des Mittelalters noch einmal seine historischen Bewegungen, und in der Tat ist der Zusammenhang mit dem Empfinden von Erschöpfung, Dekadenz und verausgabter Kraft, kurz mit alldem, was als Fin-de-siècle-Stimmung beschrieben worden ist, unverkennbar.

Nietzsche hatte die Renaissance vor allem als Gegenbild der eigenen Epoche gezeichnet und, in

Empfindungen der Fremdheit, des Verlorenseins
und des Rückzugs aus der Welt, ein Greis, müde und
in eingesunkener Haltung: Heinrich Mann am
Schreibtisch seines Hauses in Santa Monica 1943.

Spannungen, begründet in brüderlicher
Rivalität, im unterschiedlichen Erfolg, aber
auch im entgegengesetzten Temperament:
Thomas und Heinrich Mann um 1900.

radikaler Vereinseitigung, ihre aristokratischen Züge, ihre Vornehmheit, asketische Kälte und Freiheit gefeiert; doch die Mitwelt hatte sich den kritisch-moralischen Anspruch, den diese gleißenden Geschichtsstilisierungen enthielten, nicht zu eigen gemacht, sondern dem grausamen, schönheitsbesessenen, von starken Instinkten erfüllten Bild jener Epoche nur die Begründungen für ihre libertinen Bedürfnisse entnommen: »ruchlos« lautete die modische, durchaus zustimmend gemeinte Programmvokabel. Und Cesare Borgia, Held und Idol ungezählter Romane, Bühnenwerke und Abhandlungen der Zeit, hat immer wieder dazu herhalten müssen, dem auf allen gesellschaftlichen Ebenen hochdrängenden, rücksichtslos sich auslebenden Parvenu die trivialen Freiheiten zu lizenzieren, die er sich nahm, und damit gerade jenem von Nietzsche verabscheuten neuen Sozialtypus die Rechtfertigungen verschafft, gegen den er beschwörend gerichtet war.

Zugleich aber war der Renaissancismus eine Fluchtbewegung, die hochliterarische Verweigerungsgeste gegenüber einer bürgerlichen, in pragmatischer Nüchternheit erstarrten, entromantisierten Welt: ein gleichsam historischer Exotismus, der in die Vergangenheit wie nach entlegenen Ländern aufbrach und in dem Phantasiebild, das er sich von ihr entwarf, alles fand, was die Gegenwart ihm vorenthielt: Abenteuer, Schönheit, starke Begierden, das Glück und den Rausch des ungebändigten Le-

81

bens. Bezeichnenderweise enthält Heinrich Manns
Roman »Die Göttinen« aus dem Jahre 1903, der
womöglich das bedeutendste, sicherlich jedoch das
charakteristischste Werk der Renaissanceschwär-
merei ist, keine geschichtlich faßbare Schilderung
dieser Epoche, sondern nur, was er als deren Lebensstimmung empfindet: schrankenlosen Individualis-
mus, Genußsucht und Daseinsemphase, einen ästhe-
tischen Immoralismus, der nicht mehr zwischen
Gut und Böse, sondern nur noch zwischen Schön
und Häßlich unterscheidet. Formal waren alle diese
Elemente eingebunden in eine turbulente Szenen-
folge, die sich der neuen Techniken der Collage, des
abrupten Schnitts oder des Perspektiventauschs mit
einer bedenkenlosen Kunstfertigkeit bedient, um
jene Hektik zu erzeugen, die der pausenlose Wechsel zwischen rauschenden Festen und Revolutionen,
Intrigen, Morden, Kunstabenteuern und Ausschweifung verlangt. Thomas Mann, der mit dieser Art
Exzeßliteratur wenig anzufangen wußte, meinte
noch im Rückblick spöttisch verwirrt: »Kataloge des
Lasters, in denen keine Nummer vergessen war.«[11]
    Geschildert werden Leben und Abenteuer der
Violante, Herzogin von Assy, »einer großen Dame
aus Dalmatien«, wie Heinrich Mann in einem an-
kündigenden Brief seinem Verleger schrieb: »Im
ersten Teil glüht sie vor Freiheitssehnen, im Zweiten vor Kunstempfinden, im Dritten vor Brunst. Sie
ist bemerkenswerter Weise ein Mensch und wird
ernst genommen, die meisten übrigen Figuren sind

lustige Tiere wie im ›Schl(araffenland)‹. Die Handlung ist bewegt, sie erstreckt sich auf Zara, Paris, Wien, Rom, Venedig, Neapel. Wenn Alles gelingt, wird der I. Teil exotisch bunt, der 2te kunsttrunken, der 3te obszön und bitter.« [12] Das Ende des Romans, wenn alle Lebensmöglichkeiten erprobt, »die großen Träume von Jahrhunderten «nachgespielt sind, das Sterben als szenische Selbstfeier vorüber ist, vermittelt einen anschaulichen Eindruck von dem hymnischen Lyrismus, der, mal ekstatisch, mal getragen, den Stil des Werkes prägt. Aus ihrem weißen Gesicht, heißt es da, grüßten »die großen Flammen von Jahrhunderten. Alle Schönheiten der Assys waren noch einmal erstanden in dieser Frau. In ihr hatten alle ihre Leidenschaften noch einmal aufgeschrieen. Nun versiegte mit ihr der letzte Blutstropfen, der ihnen gehört hatte. Mit ihr erstarrte ihrer aller letzte Begierde, zerbrach ihrer aller letzte Geste, und senkte seinen Flügel ihr letzter Traum«.

Das gleiche Thema hat Heinrich Mann, nun freilich mit zweifelnd kritischem Unterton, vor allem in der ebenfalls 1903 erschienenen Novelle »Pippo Spano« aufgegriffen. Sie erzählt die Geschichte des Dichters Mario Malvolto, eines dieser Renaissance-Enthusiasten, der in einem Bildnis des Condottiere Pippo Spano die Maximen starker, ruchloser Lebensvergötzung vor Augen hat, doch kläglich versagt, als die Umstände ihm eine jener großen, uneigennützigen Gesten abverlangen, die er literarisch ver-

herrlicht. Wenn Heinrich Mann den Renaissancekult der Jahrhundertwende, zu dessen Wortführern
er zählte, schon damals mit leicht ironisch distan-
ziertem Einschlag als »hysterische Renaissance«
bezeichnet hat, so legt diese Novelle die romantische
Unverbindlichkeit, den nervösen und komödian-
tisch-sentimentalen, eben hysterischen Empfin-
dungsgrund bloß, auf dem er beruhte.

Einige Monate später sagte Heinrich Mann sich,
eher unvermittelt und durchaus bekenntnishaft,
von den bisherigen Anschauungen los: von Renais-
sanceschwärmerei und Gegenwartsflucht, Wirklichkeitsverachtung und den Antinomien von Kunst
und Leben. In einem Beitrag über Frankreich von
1904, geschrieben für Maximilian Hardens »Zukunft«, erklärte er sich für die Republik, für Menschenrechte, für eine kritische Literatur, und ergänzte die Beteuerung kurz darauf durch einen
Essay, der das hochmütige, menschenfeindliche
Isolierungsbewußtsein des Künstlers gegenüber der
Gesellschaft erstmals in Zweifel zog und bis zu dem
Satz führte, daß die Kunst dem Leben zu dienen
habe.[13] Nicht lange danach begann er mit der Arbeit
am »Professor Unrat«.

Gewiß war bei dieser überraschend anmutenden
Wendung das Bedürfnis im Spiel, für sein Unbehagen in der Zeit einen festen Grund zu gewinnen,
die literarischen Bespiegelungen von Künstlerein-
samkeit und weltverachtendem Außenseitertum,
auf die er sich immer wieder zurückgeworfen sah,

durch einen Punkt außerhalb der eigenen Person zu überwinden. Seine Neigung zur Kritik an Menschen und Verhältnissen war über die bloße Beschreibung des Carneval humain im Grunde nie hinausgelangt und am Ende immer nur in eine metaphorisch dekorierte Leere gemündet. Jetzt suchte er Gewißheiten, und insofern war der Entschluß auch eine Lossage von den Kompliziertheiten erkennender Kunstarbeit, von den »Lastern des Geistes«, wie es verschiedentlich heißt. Aller nach außen hin fast herausfordernd zur Schau getragenen Kunstsicherheit zum Trotz war Heinrich Mann sich seines literarischen Weges lange Zeit unsicher gewesen, sein vielseitiges, nervös empfängliches Talent zerrte ihn in diese oder jene Richtung, und noch während der Arbeit an den »Göttinnen« hatte er seinem Verleger geschrieben: »Aus der beobachteten Wirklichkeit hervor wächst bei mir doch sehr Karikatur und Excentricität. Soll ich das abwerfen? Ich weiß nicht. Möglichenfalls ist es gerade das Entwicklungsfähige?«[14] Nicht auszuschließen ist aber auch, daß der décadent in ihm die Politik als neuen, exotischen Reiz entdeckte, als Stimulans für die verfeinerten Sinne, denen die Wonnen des Ungewöhnlichen inzwischen schal geworden waren.

Jedenfalls darf man den Zusammenhang zwischen der ästhetizistischen und der politischen Phase im Werk Heinrich Manns nicht übersehen, und womöglich war, was dem flüchtigen Blick als Wendung und Gegensatz erscheint, im schwärmerischen Persönlichkeitsgrund eng verbunden. Vielleicht liegt mehr als ein Zufall darin, daß ein anderer Protagonist des Renaissancismus, Gabriele d'Annunzio, der Welt des leeren, schönen Scheins ebenfalls durch den Sprung in die Politik, wenn auch unter entgegengesetztem Vorzeichen, zu entkommen versucht hat, und es ist gewiß eine Überlegung wert, ob die Politik in diesem wie in jenem Falle nur eine romantische Option war, um vor der Welt und den Enttäuschungen zu fliehen, die sie einem sensitiven Naturell bereitete. Der Radikalismus von Schönheit und Kunst, das was die Romantiker »Hirnsinnlichkeit« nannten, hätte dann auf politischem Felde nur eine andere Formel gefunden: der hysterischen Renaissance folgte die hysterische Politik[15].

Solche Erwägungen drängen sich jeder unvoreingenommenen Auseinandersetzung mit Leben und Werk Heinrich Manns auf, doch beschreiben sie offenbar noch immer nicht das ganze Problem. Denn was als Wendung zu Politik und Gesellschaftskritik erscheint, war auch und vielleicht in noch stärkerem Maße eine Wendung gegen Thomas Mann. Man verfehlt einen überaus wichtigen Aspekt für das Verständnis Heinrich Manns, wenn man das früh ausbrechende, alles überlagernde, unablässig nagende Bewußtsein brüderlicher Rivalität außer acht läßt. Denn Heinrich war immer »der große Bruder« gewesen und hatte sich so auch empfunden: streng, hochmütig und gelegentlich auch herrschsüchtig, die geschwisterliche Autorität, der es gefallen konnte, den Jüngeren, während Kindheitstagen, grundlos und nur einer Laune folgend, einmal ein Jahr lang keines Wortes zu würdigen. Mit dem Entschluß, Schriftsteller zu werden, hatte Heinrich überdies auch die Lebensentscheidung des Jüngeren mitbestimmt, dessen literarischer Ehrgeiz zunächst wie entlehnt wirken mochte und eine Art bloßer, bewundernder Nachlauferei zu sein schien. Der Ton, in dem er Thomas gegenübertrat, hatte lange Zeit etwas Elternhaftes, belehrend Überlegenes, und während der gemeinsamen Jahre in Italien hatte er, damals noch in seinen ästhetizistischen Vorstellungen befangen, den an den »Buddenbrooks« arbeitenden Bruder gemahnt: »Du hältst Dich zu lange bei der Kritik der Wirklichkeit auf ... Aber Du wirst schon auch noch zur Kunst gelangen.«[16]

Mit dem überwältigenden Erfolg des Buches jedoch hatte Thomas Mann den, der doch auch literarisch eine Art Erstgeburtsrecht reklamierte, von seinem Platz verdrängt und das Verhältnis umgekehrt: war Thomas so lange der Bruder von Heinrich gewesen, so wurde Heinrich jetzt zum Bruder von Thomas, und zweifellos hat dieser unvermittelte Rangwechsel den Älteren tief gedemütigt. Auch kam hinzu, daß Thomas, wo es sich ergab, den Bruder auf diesen Rollentausch hinwies und ihm mit gespielter, auf Kränkung berechneter Gleichgültigkeit seine Erfolge meldete. In einem erst 1981 aufgefundenen Brief vom Dezember 1903 beispielsweise unterrichtet er den Älteren über eine Studie,

die er »bei niedrigem Barometerstand, gehetzt und
ohne jede Stimmung in acht Tagen aufs Papier
(gekratzt)« und »bösen Gewissens« abgeschickt
habe, »in der bestimmten Erwartung, sie mit Hohn
und Schande als untauglich zurückzubekommen«.
Statt dessen sei inzwischen ein Dankbrief von
Samuel Fischer eingegangen, der beiläufig auch die
Mitteilung enthalte, daß von den »Buddenbrooks«
inzwischen das 11. bis 13. Tausend gedruckt werde.
Und dann, mit unverhohlenem Triumph: »So geht
es immer. Ich arbeite mit Ekel und ohne die geringste Genugtuung, ich gebe den Dreck in tiefster
Verzweiflung weg, und dann kommen die Briefe,
das Geld, die Lobsprüche, die Händedrücke, die
›Verehrung‹. Alle haben Genuß daran, nur ich
nicht.«

Es läßt sich denken, auch Heinrich nicht. Hinzu
kam, daß diese Passage nur die Eröffnung zu einer
großen, mehrseitigen Auseinandersetzung mit dessen Werk war, deren zurechtweisender Ton ihm
den Rollentausch mit jedem Wort noch schmerz-
licher bewußt machte, als es ohnehin der Fall war,
und ersichtlich auch eben darauf abzielte. Ansatz-
punkt war Heinrichs soeben erschienener Roman
»Die Jagd nach Liebe«, den der Jüngere, über alle
Detailkritik hinaus, heranzog, um die literarische
Entwicklung des Bruders im ganzen in Frage zu
stellen. Denke er nur zehn, acht, fünf Jahre zurück,
sei ihm Heinrich als »eine vornehme Liebhaber-
natur« erschienen, »ledig jedes Applausbedürfnis-

ses, eine delicate und hochmüthige Persönlichkeit«, für deren Werke gewiß ein empfängliches Publikum vorhanden sei. Dann heißt es: »Statt dessen nun diese verrenkten Scherze, diese wüsten, grellen, hektischen, krampfigen Lästerungen der Wahrheit und Menschlichkeit, diese unwürdigen Grimassen und Purzelbäume, diese verzweifelten Attacken auf des Lesers Interesse ... in einem Buch, dessen Titel lieber lauten sollte: ›Die Jagd nach *Wirkung*‹.«

Denn die Begierde nach Wirkung, so lautet der Hauptvorwurf des Jüngeren, sei es eigentlich, die Heinrich »diese sinnlosen und unanständigen Lügengeschichten« erfinden lasse, die ihn zu einer »dick aufgetragenen Colportage-Psychologie« verführe, seinen Stil »wahllos, schillernd, international« mache und »jede Strenge, jede Geschlossenheit, jede sprachliche Haltung« zugrunde richte, kurz, ihn als Schriftsteller korrumpiere. Wenn Heinrich noch in den »Göttinnen« der Autor des Schönen und des Historischen gewesen sei, so habe er an deren Stelle jetzt den Sexualismus gesetzt, ohne freilich »das Unheimliche, das Tiefe, das ewig Zweifelhafte des Geschlechtlichen« spürbar werden zu lassen: »Die vollständige sittliche Nonchalance, mit der Deine Leute, haben sich nur ihre Hände berührt, mit einander umfallen und l'amore machen, kann keinen besseren Menschen ansprechen. Diese schlaffe Brunst in Permanenz, dieser fortwährende Fleischgeruch ermüden, widern an. Es ist zu viel, zu viel ›Schenkel‹, ›Brüste‹, ›Lende‹, ›Wade‹,

›Fleisch‹, und man begreift nicht, wie Du jeden Vormittag wieder davon anfangen mochtest, nachdem doch gestern bereits ein normaler, ein tribadischer und ein Päderasten-Aktus stattgefunden hatte ... Ich spiele nicht Frà Girolamo, indem ich dies schreibe. Ein Moralist ist das Gegentheil von einem Moralprediger: ich bin ganz Nietzscheaner in diesem Punkte. Aber nur Affen und andere Südländer können die Moral überhaupt ignorieren, und wo sie noch nicht einmal Problem, noch nicht Leidenschaft geworden ist, liegt das Land langweiliger Gemeinheit.« [17]

Heinrichs Antwort ist nicht erhalten, nur einige Entwurfsnotizen auf der Rückseite des Briefes geben einen kurzen Hinweis auf die Tonlage der Erwiderung. Darunter finden sich einige Stichworte, die jenen Unterschied in Wesen und Arbeitsweise der Brüder festhalten, der am Ende auch über ihren literarischen Rang entschieden hat: »Mir gebricht es so vielmehr an Ruhe, an Zeit zum Abwägen. Ich habe die Angst: höre ich auf, ist es aus mit mir. Dann das Geld. Ich denke, wenn ich von Wirkung spreche, *ausschließlich* an das Geld. Ich behaupte mein volles Recht, mich über die Eitlen lustig zu machen, denen am Beifall um seiner selbst etwas liegt. Mir ist das unbestimmte Geräusch des Volkes dahinten gleichgültig. Ich weiß zu gut, daß der Ruhm nur ein weithin verbreiteter Irrthum über meine Person wäre; daß man klatschen würde, ohne zu wissen wem.«

Auch wenn Thomas Mann versucht hat, in den unmittelbar folgenden Briefen den Streit abzumildern, war der Bruch damit doch besiegelt, und niemals mehr jedenfalls hat er sich dem Bruder gegenüber freimütig geäußert, sondern dessen Arbeiten mit billigen oder doppelsinnig funkelnden Komplimenten überhäuft. So wenn er einem der Romane Heinrichs »vergeistigte Opernschönheit« zuspricht oder später von der »intellektuell federnden Simplizität« seines Stils spricht. Heinrich dagegen entnahm dem Brief womöglich doch die Einsicht, daß er literarisch ins Ausweglose geraten war und sich auf festeren Grund stellen mußte. Es ist sicherlich mehr als eine bloß zufällige Koinzidenz, daß er bald nach der Auseinandersetzung den erwähnten Aufsatz für Hardens »Zukunft« schrieb, mit dem er sich programmatisch von seinem Bruder entfernte. Die eigentliche Ursache des Zwistes aber hat noch einmal ein Brief der Mutter aufgedeckt. »Zeige nicht«, schrieb sie am 20. November 1904 besorgt an Heinrich, »daß Du Dich von der literarischen Welt nicht so anerkannt fühlst, als es Thomas momentan ist ... Ihr seid *beide* gottbegnadete Menschen, lieber Heinrich, laß das persönliche Verhältnis zu T. ... nicht getrübt werden; wie konnten 1 ½ Jahre es so ändern bloß weil Deine letzten Arbeiten nicht durchwegs gefielen. Das hat doch mit d. geschwisterl. Verhältnis *nicht*s zu *thun!*« Und: »Ich wünsche so von ganzer Seele, daß auch Dir die äußerliche Anerkennung zu Theil würde, denn leider kann der Schriftsteller nicht ohne sie fertig werden.«[18]

Ohnehin labiler, unsicherer veranlagt, wurde für Heinrich von nun an nahezu alles, was er dachte, plante und schrieb, zur stillen, erbitterten Auseinandersetzung mit dem übermächtigen Schatten des jüngeren Bruders. Das Gefühl unerwarteter Zurücksetzung stürzte ihn in die Krise seines Lebens. Sie konnte ihn zerbrechen, ihm aber auch die Möglichkeit eröffnen, im Widerspruch zu Thomas den eigenen, unverwechselbaren Ausdruck zu finden; sie konnte ihn schließlich auch von sich selber abbringen und verfälschen. Thomas Mann hat 1921, nach dem Höhepunkt des Konflikts, im Blick auf diesen Rivalitätskomplex und dessen Auswirkung auf Heinrich bemerkt: »Der innere Entstehungsherd des Giftes, das sein Dichtertum zu zersetzen drohte, war sicher hier.«[19]

Schon der Renaissancismus, vor allem die »Göttinnen«-Trilogie, war ein Versuch, den Autor der »Buddenbrooks« sowohl durch hochgetriebene Artistik als auch, zumindest dem konzeptionellen Umfang nach, künstlerisch zu übertreffen. Es war vermutlich nicht ohne maliziöse Nebenabsicht, daß der Jüngere auf das ambitionierte Werk noch im gleichen Jahr mit der Lakonie der »Tonio Kröger«-Novelle antwortete, die, ebenso wie das dialogische Gedankenstück »Fiorenza« zwei Jahre darauf, eine dezidierte Absage an den Bellezza-Ästhetizismus war, die »Blasebalg-Poesie«, wie Thomas Mann später offen höhnte, die »Blut- und Schönheitsgroßmäuligkeit« mitsamt all der Schwärmerei für »dick vergoldete Renaissance-Plafonds und fette Weiber«.[20]

Solche Gereiztheiten finden sich schon in einigen Freundesbriefen aus jener Zeit, wo vom Erkenntnisverzicht Heinrichs die Rede ist, von seiner »langweiligen Schamlosigkeit«, der »geistlosen und unseelischen Betastungssucht seiner Sinnlichkeit« und von dem »leidenschaftlichen Widerstand«, zu dem diese Bücher herausforderten, sogar vom »Haß«.[21] Dergleichen blieb Heinrich gewiß nicht verborgen, und er mochte sich sagen, daß nichts den Kunstbegriff des Bruders heftiger provozieren mußte als der entschlossen parteiergreifende Übertritt ins Politische. Denn darin waren sie sich, allen Meinungsverschiedenheiten zum Trotz, so lange immer einig gewesen: daß der Schriftsteller in exklusiver Entfernung von der Wirklichkeit, hoch über allen Interessen und Tagesstreitigkeiten, als »Herr der Gegensätze« regierte. Indem Heinrich »das Volk« entdeckte, den »Fortschritt« und das »Menschheitsglück«, sagte er sich in den Augen des anderen geradezu von der Kunst selber los und durchtrennte noch die letzten Gemeinsamkeiten. Man darf sicher sein, daß Heinrich eben dies beabsichtigte. Wenn er in einem späteren, freilich nie abgeschickten Brief an Thomas schrieb: »Ich empfinde mich als durchaus selbständige Erscheinung, u. mein Welterlebnis ist kein brüderliches, sondern eben das meine. Du störst mich nicht«, so stellte er den Charakter ihres Verhältnisses geradezu auf den Kopf. [22]

Der theoretische Ausdruck dieses Bruchs waren die programmatischen Essays Heinrich Manns wie »Geist und Tat«, »Voltaire – Goethe« oder »Gustave Flaubert und George Sand«, bis hin zu dem als berechnete Kränkung des Bruders gedachten und das Zerwürfnis für längere Zeit besiegelnden Aufsatz über »Zola«. In diesen Arbeiten fand und vertiefte er nicht nur sein Verhältnis zum französischen Sozialroman des 19. Jahrhunderts; vielmehr erhob er zugleich auch die Dritte Republik zum verklärten Gegenbild des kaiserlichen Deutschlands. Sein hochgestimmter Glaube an die Demokratie, an Wahrheit, Freiheit, Gerechtigkeit, an die verwandelnde Kraft von Geist und Literatur: all diese nun über Jahre hin unermüdlich abgewandelten Formeln haben sich in jener vom Willen zum Ideal getragenen Beschäftigung mit Frankreich gebildet.

Wie stark und zugleich vereinfachend Heinrich Manns neugewonnene Gewißheiten waren, wie ungebrochen sein richtungsversetzter Hang zur Überspitzung, belegt eine Textstelle, in der er versichert, die französischen Schriftsteller hätten »die Demokratie erzogen. Das ist die Wirkung Zolas und das ist, seinen Tendenzen zum Trotz, die von Balzac ... Victor Hugo, der aus der Verbannung seine republikanischen Fanfaren schickt, Sainte-Beuve, der im Senat die Freiheit der Presse verteidigt, Flaubert mit seinem Ideal einer Regierung der Wissenschaft,

94

des Geistes selbst; und Lamartine, in der Stunde, als sein Wort den übergetretenen Strom einer Menge bändigt, und Rochefort, während seines langen Duells mit einem Kaiser, und Zola, der die Kanonen der Gewalt zum Schweigen bringt vor der Wahrheit: sie alle haben das Glück gekannt, sich nicht stumm und ohne Arme zu fühlen, von einem Volk, dem der Geist nicht nur ein überirdisches und belangloses Spiel ist, auf eine Tribüne gehoben zu werden, ihr Wort die Dinge bewegen, den Geist in Welt und Tat verwandelt zu sehen.« [23] In der ihn umgebenden deutschen Wirklichkeit dagegen entdeckte Heinrich Mann nur ein »menschenfeindliches, der Reaktion ergebenes Geschlecht«, das ihn leiden machte. »Ich lebe«, schrieb er, »unter dem Druck dieser sklavischen Masse ohne Ideale ... so unverhüllt und brutal wie sonst nirgends in der Welt.« [24]

Der eigentlich literarische Ausdruck der Entzweiung mit dem Bruder waren die gesellschaftskritischen Romane, insbesondere »Professor Unrat« (1905) sowie »Der Untertan« (1914, 1918). Gegen das psychologische Zergliederungs-Raffinement des Jüngeren und dessen vielfach gebrochene, mit soviel Abstand wie Sympathie gezeichnete Figuren stellte er den bewußt vereinfachten Typus, und in der Tat waren es diese Vergröberungen, dieser vorbedachte, in der satirischen Absicht begründete Schritt hinter die Zeit und ihre psychologischen Erkenntnisstandards zurück, der Thomas Mann womöglich noch betroffener machte als der immerhin diffizile Kunstwiderspruch der früheren Werke: »Das alles ist das amüsanteste und leichtfertigste Zeug«, notierte er nach der Lektüre des »Professor Unrat«, »das seit Langem in Deutschland geschrieben wurde... Unmöglichkeiten, daß man seinen Augen nicht traut.«[25]

Es war die alte Neigung Heinrichs zum Überhasteten, literarisch »Schnellfertigen«, an der die produktionsethische Strenge Thomas Manns, seine Geduldigkeit und sein Ziseleur-Temperament Anstoß nahmen, jetzt aber ergänzt und erweitert um Heinrichs ins Politisch-Soziale gewendeten Hang zum Extrem, zur nicht selten absichtsvoll zurechtgestutzten Pointe. Und tatsächlich hat dieser offen tendenziöse Zug den literarischen Wert der gesellschaftskritischen Romane Heinrich Manns nicht unerheblich beeinträchtigt.

Das gilt am wenigsten für den »Professor Unrat«, dessen Mittelpunktfigur im Konflikt zwischen tyrannischer Prinzipienstarrheit und tief verwirrendem Triebbedürfnis nicht nur demaskiert und lächerlich gemacht, sondern auch, bis hin zur Empörung gegen die bestehende Ordnung, psychologisiert und mit Menschenzügen ausgestattet wird. Darin unterscheidet sich der frühe Roman – von so unverkennbar mißlungenen Werken wie »Die Armen«, »Der Kopf« oder »Die große Sache« abgesehen – von dem rund zehn Jahre später entstandenen »Untertan«, der Unvermögen oder Unwillen des Autors, den

komplexen Charakter aller sozialen oder menschlichen Realität zu erfassen, nachdrücklich offenbart.
Wieviel Beobachtungsschärfe und grandios bösarti-
gen Einfallsreichtum, wieviel bestürzendes Voraus-
wissen das Buch auch vorweist – am Ende enthält
es mehr pamphletistische als literarische Wahrheit
und steht mit seiner verächtlich wegwerfenden
Gebärde der eigenen Intention eher entgegen; bezeichnenderweise sollte es ursprünglich auch das
Motto haben: »Dies Volk ist hoffnungslos.« In keiner Szene jedenfalls, keiner seiner bald berechen-
baren Reaktionen gewinnt Diederich Heßling Züge,
in denen die Leser ihr eigenes Untertanentum wie-
dererkennen konnten. Als durch und durch kon-
struierte Figur, eine ins Mythologische gesteigerte
Sozialmarionette, förderte sie eher die Vorstellung,
der Untertan sei immer nur der andere. Hermann
Hesse hat diesen Mangel bemerkt, als er über einen
der anderen gesellschaftskritischen Romane Heinrich Manns schrieb, der Autor nehme den Proble-
men ihren Ernst, indem er einfach die eine Partei
»bis zur Lächerlichkeit degradiere«.[26] Und auch
Thomas Mann, dessen Urteil gewiß einigen Vorbehalt verdient, traf etwas Richtiges, als er in diesen
Büchern »epische Güte« vermißte. Heinrich Mann
selber hat das Dilemma der Sozialsatire Jahre später
in die Worte gefaßt: »Das ist sehr schwer: Wahr-
heiten sagen und doch nicht ganz entmutigen.«[27]
Man hat in den gesellschaftskritischen Romanen,
die rund fünfundzwanzig Jahre lang das literarische

Werk Heinrich Manns bestimmt haben, trotz vielfach treffender Züge, einen Ausdruck des eigentümlich unsicheren, balancelosen Verhältnisses der Deutschen zu sich selbst gesehen: der Neigung zur Infragestellung des eigenen Wesens, zur radikalen Selbstbezichtigung. In historischen Voraussetzungen begründet, hat sie mit der Sehnsucht nach dem Ideal zu tun und das Land, seit es zum Bewußtsein von der Veränderbarkeit aller Verhältnisse kam, zum Vorzugsplatz sowohl kritischer Geister als auch revolutionärer Utopisten und Gesellschaftsphantasten gemacht. Gemeinsam war den einen wie den anderen die Tendenz, hoch über aller Wirklichkeit deren reineres Urbild zu errichten und die Realität für die Widerspenstigkeit zu strafen, mit der sie sich vollkommenen Zuständen zu verweigern pflegt; und verbindend war auch ihr in aller Regel apolitischer Charakter. Doch gehört es gerade zum romantisch-apolitischen Wesen, unter allen Rollen, die öffentliche Wirkung versprechen, mit Vorliebe die politische zu wählen.

Gewiß wird man Heinrich Mann nicht vorschnell oder gar an beliebiger Stelle in dieses Spektrum einordnen. Aber die Tendenz zum gesellschaftlichen Ideal, das Leiden an der Wirklichkeit bei gleichzeitig affektschärfender Distanz zu ihr: das findet sich bei ihm doch, auch wenn in alledem mehr humane Sorge, mehr Unschuld und Literateninbrunst war als vielfach sonst. »Der Haß des Geistes auf den infamen Materialismus dieses ›deutschen Reiches‹

ist beträchtlich. Aber wie soll er eine Macht werden?«, schrieb er im Dezember 1909 vom fernen Nizza aus in einem Brief. »Was wir können ist: unser Ideal aufstellen, es so glänzend, rein und unerschütterlich aufstellen, daß die Besserern erschrecken und Sehnsucht bekommen.«[28]

Heinrich Mann hat seinen kritischen Abstand zur deutschen Gesellschaft verschiedentlich auf seine Herkunft »zwischen den Rassen«, das südländische Erbteil seiner Mutter, zurückgeführt, aber sicherlich auch und entschiedener noch hat das frühe Italienerlebnis dazu beigetragen. Zahlreiche Briefe und autobiographische Notizen haben das Gefühl äußerster Überwältigung festgehalten, das ihn schon auf der ersten Reise, 1893, in dieses »Wunderland« erfüllte und das sichtlich anders und stärker war als das traditionelle Italienglück vieler Deutscher; er selber hat es als eine Art Wiederbegegnung beschrieben: »Seine Erfahrungen reichten tief, er war eingeweiht wie ein Verwandter«[29], heißt es einmal, und an anderer Stelle, den gleichen Gedanken noch verdeutlichend: »Ich ging, sobald ich konnte, heim nach Italien.«[30]

Gleichwohl muß er sich seltsam fremd in dieser Umgebung ausgenommen haben. Allen Schilderungen der Zeitgenossen zufolge war er von eher steifem, scheuem Gehabe und wie gefangen in einer gewissen schwerblütigen Würde: Heinrich Mann werde »den Lübecker ›Anstand‹ auch im Bordell nicht los«, notierte René Schickele belustigt, und

99

Kurt Tucholsky, der ihn bewunderte, ergänzte den gleichen Eindruck durch den Hinweis auf den pädagogenhaften Zuschnitt der Erscheinung: »Er ist groß und blond, ein wenig embonpoint schon, er roch merkwürdigerweise wie eine Schiefertafel ... sieht aber im ganzen doch sehr gut und soigniert aus.«[31] Was Heinrich Mann in Italien entdeckte, war die andere, von norddeutschem Ernst, norddeutscher Zugeknöpftheit überlagerte, doch nie zu freiem Ausdruck gelangte Seite seines Wesens. In der Generosität und Menschlichkeit des Südens, seiner Rhetorik, dem Theaterglanz und seinem impulsiven Sensualismus glaubte er zu finden, was er immer schon vermißt und zur Selbstergänzung nötig hatte. »Diese naive Animalität«, so hat er die elementare Erfahrung jener Jahre kurze Zeit später zu begründen versucht, »dient mir als Ausgleich für meine Geistigkeit; ihr leichtes Leben ist der geduldige Träger meines angestrengten.«[32]

Doch war diese überschwengliche Rückkehrempfindung nicht alles, was diese Jahre weckten. Wie viele Reisende auch vom Italienerlebnis inspiriert und gesteigert worden sind, so viele hat es zerbrochen oder doch unfähig gemacht für das Leben im konventionell gebundenen, puritanischen Norden. Heinrich Mann ist sich in Rom und Palestrina zumindest dieses Zwiespalts, der weit in Herkunft und Persönlichkeit reichte, bewußt geworden, und bezeichnenderweise hat er seine Heimatstadt Lübeck danach nie mehr wiedergesehen. Nicht minder aufschlußreich ist, daß in Italien nicht nur sein Talent, sondern auch der kritische Affekt gegen die deutsche Gesellschaft geboren wurden: er entdeckte gleichsam, was ihm versagt war, und objektivierte das Leiden an sich selber im Leiden an Deutschland. Im Zusammenhang betrachtet, waren seine ersten beiden größeren Romanwerke, »Im Schlaraffenland« und »Die Göttinnen«, von der Erfahrung der idealen Welt des Südens eingegeben, an der er die verachtenswerte, ungeliebte Realität des eigenen Landes maß.

Diese Welt ist auch der Gegenstand seines sicherlich schönsten und möglicherweise allein dauernden Werkes: des Romans »Die kleine Stadt«. Erzählt wird, wie eine Operntruppe zu einem Gastspiel in ein verschlafenes italienisches Provinznest einfällt, ein pathetisches Durcheinander von Leidenschaften, Intrigen und prahlerisch geführten Fehden anrichtet und nach kurzem Aufenthalt wieder abzieht: ein Nichts an Handlung eigentlich, wie aus Luft gebildet und in Luft sich wieder auflösend, das aber offenbart, wie häufig Heinrich Mann sich mit seiner Neigung zur bizarr beladenen Kolportage übernommen hat, während er in diesem Buch allen schwerelosen Zauber der commedia dell'arte-Welt entfalten konnte. Advokat, Priester und Barbier, der Maestro, die Primadonna und das Liebespaar übernehmen alle ihre halbwegs vorgegebenen Rollen, kein einzelner ragt heraus, der Held des Buches ist »das Volk«, und mit Recht hat man immer wieder die mühelose Sicherheit gerühmt, mit der die mehr als hundert Personen, eine jede unverwechselbar, auf engem Raum durch den selbstentfesselten Tumult gelenkt werden. Es mag Heinrich Manns Bestreben gewesen sein, in dem Werk das demokratische Weltbild in das farbige Gewimmel, die vitale Herzlichkeit einer südländischen Kleinstadt umzusetzen, aber es war ironischerweise Thomas Mann, der es »das hohe Lied der Demokratie« genannt hat, eine Formel, die der Autor augenblicklich aufgriff und wiederholt verwendete: »Das Stärkste, was ich gemacht habe«, wie er noch am Ende seines Lebens bekannte.[33]

In der Tat, so absichtslos, so frei von politisch-pädagogisch erbitterter Gestik ist Heinrich Mann nie wieder gewesen. Anders als dieser Roman ist das Werk der zwanziger Jahre, in denen er auf der Höhe seines Ansehens stand und seinen Ruhm wie sein Repräsentantentum in großen Zügen genoß, nicht zu Unrecht vergessen. Mitunter scheint es, als habe er den politischen und gesellschaftlichen Verpflichtungen, die ihm nun zufielen, größere Bedeutung eingeräumt als der literarischen Tätigkeit. Erstaunlich bleibt, daß es aus den Jahren, die eigentlich die seinen waren, kein literarisches Werk von einiger Bedeutung gibt. Zwar wurde »Der Untertan«, der die sozialpsychologischen Verbiegungen der Kaiserzeit bloßstellte und eine Art Begründung für dessen Zusammenbruch zu liefern schien, ein großer Erfolg, und der plötzliche Ruhm des Autors zog auch die früheren Romane mit, vor allem den »Professor Unrat«. Einen Augenblick lang schien die alte Rangfolge zwischen den Brüdern wiederhergestellt und jedenfalls notierte Thomas Mann in seinem Tagebuch, er führe jetzt eine einsame Existenz, während Heinrichs Leben »sehr sonnig« sei. Doch dauerte der Zustand nicht, und der »Eifersuchtsgram« des Jüngeren fand spätestens mit dem Erscheinen des »Zauberberg« ein Ende. Die erzählerischen Arbeiten Heinrich Manns dagegen, die mehr noch als vordem unter den Eiligkeiten und Simplismen des Autors litten, stießen auf zunehmendes Befremden, und Arthur Schnitzler, der mit Heinrich Mann befreundet war, hat ihm einmal die »Verzerrungen« und »Überdeutlichkeiten« vorgehalten, die »eigenwillig hastende stilistische Durchführung«, die den Eindruck erwecke, als wenn er seinem »eigenen Genie mißtraue«. [34]

In den Vordergrund traten nun essayistische und journalistische Arbeiten, schon die erste Neuveröffentlichung, mit der er 1919 hervortrat, war eine Essaysammlung unter dem Titel »Macht und Mensch«, die er »der deutschen Republik« widmete. Was Italien so lange emotional für ihn bedeutet hatte: die Idee von Heimat und tieferer Zugehörigkeit, wurde jetzt im intellektuell-politischen Sinne mehr und mehr durch Frankreich ersetzt. »Wir sind jeder da und dort, aber alle auch in Frankreich geboren«, hat er später geschrieben. [35]

Ausgangspunkt und Maßstab aller seiner Schriften zum Tage war die Französische Revolution, und wenn er einst über George Sand bemerkt hat: »Es ist, als spräche ein Mensch von 1789«, so gilt das für ihn, den später Geborenen, auch. Schon das Vokabular weist darauf hin: die immer wiederkehrenden Begriffe von Freiheit, Gleichheit, Gerechtigkeit, von Wahrheit, Geist und Volk, all diese grandiosen, aber leicht vergilbten Hochherzigkeiten, von denen er sich mancherlei Befeuerndes für die Zukunft versprach, während sie viel eher als bloße, resonanzlose Mythen wirkten und die Bedürfnisse derer, an die sie sich richteten – das verbreitete Verlangen nach Erkenntnis der Lage, nach Standortbestimmung und neuen Zielen – auf bewegend-anachronistische Weise verfehlten. Joseph Breitbach hat berichtet, daß Heinrich Mann auch später noch, während des französischen Exils, gänzlich außerstande war zu erkennen, daß er in Frankreich »eine reine Verbaldemokratie bewunderte, die ganz undemokratisch im Sozialen war«: ihm drängten sich, bis zur Blindheit, durchweg die großen Wörter vor die Wirklichkeit. »Unter uns Menschen des zwanzigsten Jahrhunderts«, verkündete er im Jahre 1919 der von der Niederlage, von Hunger, Chaos und Existenzangst verstörten Nation, »lebt auf und handelt weiter die französische Revolution. Sie ist ewig, ist übernationales Geschehen im Angesicht der Ewigkeit. Im Schein von Blitzen hat sie einst für Augenblicke vorweggenommen, was noch die künftigen Jahrhunderte unserer Welt mit täglicher Wirklichkeit erfüllen soll. Der ihr befreundete, ihr gewachsene Geist Deutschlands, Kant, kehrt nun, von weither, zurück in den Worten Wilsons. Die Republik, die sie meinte, ist kämpfendes Menschentum; wir können keine andere meinen.«[36]

Die Hoffnungen Heinrich Manns, die sich in solchen wie in ungezählten anderen Zeugnissen bekundeten, waren gewiß nicht nur rhetorische Durchgängerei, sosehr er sich häufig vom eigenen Überschwang, dem alten Schwärmerwesen, überrennen ließ. Sie waren aber doch so hochgespannt und alle jene überständig wirkenden Begriffe, die ihm anscheinend leicht aus der Feder gerieten, mit so pedantischer Starre ernst gemeint, daß keine Wirklichkeit, wie immer sie aussehen mochte, ihnen hätte gerecht werden können. Nie wäre ihm begreiflich gewesen, daß die Abstriche von den äußersten Erwartungen zur Politik gehören, ja das Wesen der Politik selber sind. Infolgedessen ist er den Weg vieler apolitischer Deutscher aus jenen Jahren mitgegangen: vom gekränkten Ideal über die Enttäuschung in die Resignation, aus der er sich allenfalls bei offiziösen Anlässen, als gesuchter Festredner und Präside, aufschwungweise befreite. Im Oktober 1923, als sich das Reich der bis dahin schwersten inneren Krise gegenübersah, rief er in einem offenen Brief den Kanzler Stresemann auf: »Ich fordere die Diktatur der Vernunft ... Ergreifen Sie Personen und Besitz, rächen Sie die bis in den Tod beleidigte Nation! Die soziale Demokratie soll endlich gewappnet und als Rächer dastehen. Sie ist unsere einzige Rüstung, wer sie angreift, muß zerbrechen.« An Kurt Tucholsky aber schrieb er wenige Monate später, er trage sich mit Auswanderungsgedanken: »An eine analphabetische Reaktionsperiode schließt sich lückenlos die nächste an ... Während des ganzen Wilhelms wartete ich, ob nicht doch mal Licht käme. Aber erst nach der Revolution steht es fest, daß ein Fünfziger ganz gewiß keins mehr sehen wird.«[37]

Thomas Mann hat zu Beginn der dreißiger Jahre, nicht ohne mokanten Unterton, dem Sinne nach bemerkt, sein Bruder habe weniger die Republik als seinen Traum davon gewollt.[38] Auch darin wird die zutiefst apolitische Natur Heinrich Manns erkennbar, daß er angesichts der unvollkommenen, von halben Hoffnungen, halben Idealen gezeichneten Realität in immer neuen, anderen Traumbereichen Ausflucht suchte. Stets und an erster Stelle war da Frankreich oder doch das Bild, das er sich in enttäuschungsloser Liebe davon zurechtgemacht hatte. Eine Zeitlang hing er seine Erwartungen an die Pan-Europa-Idee und hielt Freundschaft mit dem Grafen Coudenhove-Kalergi; dann wiederum und unentwegt aufs neue verfolgte er Ideen von einer Führerschaft der Intellektuellen: sie seien kraft inneren Auftrags die eigentlichen Volksvertreter, versicherte er, wie denn überhaupt politisches Handeln Literaturkenntnis voraussetze. Im Jahre 1923, angesichts des Ruhrkonflikts mit Frankreich, verlangte er sogar ökonomische Vollmachten für den eigenen Stand: »Die Wirtschaft stehe unter der Aufsicht einer geistigen Auslese beider Demokratien. Politik ist Angelegenheit des Geistes«, formulierte er apodiktisch.[39] Und schließlich tauchte, aus anfänglichem Widerspruch und entsetzter Ablehnung, das zunehmend sich verklärende Bild der Sowjetunion auf.

Noch im Jahre 1919 hatte er in »Macht und Mensch« den russischen Bolschewismus als »ein Gebilde aus Blutdurst und Logarithmen« beschrieben, in dem jeder einzelne mehr zu verlieren habe als »sein bißchen Eigentum: vor allem seine gesunde Kritik, seinen Weltverstand und seine offenen Augen«. Aber sein Radikalismus der Worte, die Magie mythischer Begriffe wie Revolution, Gerechtigkeit und Sozialismus, die ihn zum Träumen brachten und im fernen, nie gesehenen Rußland doch zum Sieg gekommen waren, löste zusehends die Vorbehalte auf. In einer Betrachtung aus dem Jahre 1924 hat er den Fluchtcharakter dieser Umbesinnung angedeutet, als er schrieb, die Größe Lenins sei ihm erst vor dem Hintergrund der deutschen Entwicklung begreiflich geworden.[40] Auch darin wirkte wieder, wie in all diesen ruhelos vagabundierenden Sehnsüchten, das Utopiebedürfnis des politisierenden Intellektuellen mit, vor allem aber ein verdrehter, weltfremder, oft und zugleich nie enttäuschter Literaturernst, der den satirisch überzeichneten Figuren des eigenen Romanwerks mehr und mehr in die Falle ging. Während er im eigenen Lande nur den borniertem, zynischen Ungeist am Werke sah und über seinen hochgetriebenen Phantasmagorien die Wirklichkeit der mühsam sich behauptenden, nur von erklärten Feinden oder gnadenlosen Rigoristen umgebenen Republik aus dem Auge verlor, gab er der Sowjetunion, was er jener versagte. »Die Oktoberrevolution«, so faßte er im Rückblick zusammen, was ihn damals und bald für immer seine Hoffnungen an das Land im Osten binden ließ, »ist, wie jede echte, tiefe Revolution, die Verwirklichung einer hundertjährigen Literatur«.[41]

Auch die Gegenwelt, die solchen Traumbildern stets korrespondiert, fehlte nicht: »die Industrie« mit ihren »teuflischen Plänen«, die »Aufsauger«, »Enteigner« und »Substanzentzieher«, unablässig im Finstern heckend und fressend. Die Geschichte der Weimarer Republik betrachtend, kann man für Heinrich Manns Forderung auf Verstaatlichung der Grundindustrie sicherlich Argumente ins Feld führen. Problematisch war aber das Dämonenwesen, das er für sein Begehren mobilisierte. Weniger eine Sache des dramatisierenden Effekts, entstammte es vielmehr, wie alle Verschwörungstheorien, dem Unvermögen, den Zusammenhang komplexer gesellschaftlicher Vorgänge zu begreifen, und wie stets ging auch hier die Schwäche mit dem Bedürfnis einher, für alle fehlgeschlagenen Hoffnungen, alle unerfüllt gebliebenen Wünsche die Machination verborgener Gegenmächte verantwortlich zu machen.

Der andere große Widersacher, auf den er von Beginn der Republik an, in Appellen und Beschwörungen, aufmerksam machte, war der Nationalismus der Zeit, das aus der nie begriffenen Niederlage und dem moralischen Verdikt der Siegermächte herstammende, unversöhnliche Ressentiment gegen eine Welt von Feinden. Und wiewohl Heinrich Mann auch hier wieder seinem übertreibenden Temperament folgte, wenn er beispielsweise der Nation den Stolz auf die Niederlage abforderte, damit die Sieger sich des Sieges schämten[42], kann man seine unerschrockenen Mahnungen, denen die Geschichte so bestürzend recht gegeben hat, nicht ohne Bewegung wiederlesen. Im ganzen sind die Aufsätze und Reden, mit denen er sich, solange die Republik dauerte, als der politische Repräsentant der Literatur und des »aus der Welt hervorgehobenen und vor sie hingestellten Gewissens«[43] zu Worte gemeldet hat, eine seltsame Mischung aus Hellsicht und Verblendung, Gespensterglauben, Irrtum und humaner Vernunft.

Paradoxerweise erreichte Heinrich Manns öffentliches Ansehen in den Jahren, als die Republik ihrem Ende entgegenging, seinen Höhepunkt. Im Januar 1931 wurde er zum Präsidenten der Sektion Dichtkunst in der Preußischen Akademie der Künste gewählt, zu seinem 60. Geburtstag, einige Wochen später, feierten ihn hundertdreißig Schriftsteller

aus aller Welt, und im Jahre darauf wollte Kurt
Hiller ihn sogar dazu bewegen, als Kandidat für das
Amt des Reichspräsidenten gegen Hindenburg, Hitler und Thälmann anzutreten. Bezeichnenderweise
haben die neuen Gewalthaber ihn schon annähernd
vierzehn Tage nach der Machtergreifung gezwungen, sein Amt als Akademiepräsident aufzugeben,
sie würden, erklärten sie, andernfalls die Institution
auflösen. Wie stark Unsicherheit, Angst und das
Mißtrauen selbst unter Gesinnungsfreunden schon in
diesen Tagen umgingen, geht aus dem Bericht Hermann Kestens über eine Beratung hervor, zu der
sich einige der bedrohten Schriftsteller zusammen-
gefunden hatten. Als Bertolt Brecht eine »Leib-
wache« der Roten Hilfe oder der Gewerkschaften
für die politisch Engagierten unter ihnen vorschlug,
antwortete Heinrich Mann ironisch: »Eine Leib-
wache? Uns zu bewachen oder überwachen? Uns zu
schützen oder in Schutzhaft zu bringen? Uns zu ver-
teidigen oder zu verraten?«[44] Wenige Tage später
verließ er Deutschland.

Auch im Exil, von Südfrankreich aus, widmete er
einen erheblichen Teil seiner Kraft und seiner Zeit
der Politik. Im Laufe weniger Jahre schrieb er über
dreihundert Artikel, vor allem für die »Neue Weltbühne«, das »Pariser Tageblatt« und die »Dépêche
de Toulouse«. Unermüdlich unterzeichnete er Reso-
lutionen, organisierte, korrespondierte und ließ sich
als Präsident, Vorstand oder Ehrenmitglied in eine
Vielzahl meist kommunistisch beeinflußter Komitees

wählen, der »Hindenburg des Exils«, wie Ludwig Marcuse spottete. [45]

Von seiner Erscheinung, seinem Gehabe, seinen Stimmungen im südfranzösischen Exil gibt es eine anschauliche Skizze im Tagebuch René Schickeles: »Wir sitzen im ›Café Monmot‹, da kommt Heinrich Mann. Er wird fett. Doppelkinn, das die Bewegungen des Kopfes nicht immer ganz mitmacht. Der Kopf geht weg, und das Kinn bleibt liegen. Nachdem er seinen Kaffee bestellt hat, zieht er, wie er das offenbar täglich tut, die Zeitung aus der Tasche und legt sie sorgsam vor sich auf den Tisch. Es ist die ›Dépêche de Toulouse‹. Er bekommt sie als Mitarbeiter umsonst. Andere Zeitungen liest er nicht. Dann faltet er die Hände und sieht einen aus seinen blauen Augen an. Sie sind harmloser als die eines Kindes. Beim geringsten Anlaß bricht ein Ausdruck von Mißtrauen durch. Schon, wenn seine Eitelkeit sich von fern bedroht fühlt ... Er arbeitet an seinem Roman. Den ganzen Tag am Schreibtisch. Seine einzige Erholung der kurze Cafébesuch zwischen fünf und sechs. ›Seit zwei Jahren geht es so mit der Arbeit. Ich brauche Ferien.‹ Im Augenblick, da er es ausspricht, breitet sich eine maßlose Müdigkeit über ihn. Sein Gesicht zerfällt. Die Augen blicken traurig in die Ferne. Die Arme hängen. Ich kenne keinen einsameren Menschen.« [46]

Angesichts der politischen Geschäftigkeit, die Heinrich Mann in der Emigration entfaltete, mutet es um so erstaunlicher an, daß es ihm möglich war, den großangelegten, noch in Deutschland begonnenen Roman zu schreiben, von dem die Tagebuchnotiz spricht. Viele halten das Buch, »Die Jugend und die Vollendung des Königs Henri Quatre«, für sein Hauptwerk, er selber hat es als eine Art Summe seines Lebens angesehen.[47] In der Tat bot schon die Wahl des Themas eine Idealformel, die es ihm erlaubte, alle Widersprüche seines seltsam verbogen anmutenden Werkes, einmal wenigstens, zu vereinigen: die von Handlungszeit und Handlungsort vorgegebene, fast schon versunkene Renaissancebegeisterung mitsamt den mannigfaltigen Möglichkeiten zum Grellen, Überhitzten, emphatisch Dampfenden, zu bengalischem Feuer und künstlichem Donner auf der einen, und seine politischen Träume von der Herrschaft der Denkenden und der »Macht der Güte« auf der anderen Seite: dies alles noch verbunden und ins Ernste gesteigert durch eine unübersehbare, der Konzeption selber entstammende Moralität, die seinen lehrhaft-pädagogischen Neigungen Genüge tat. In einem Hinweis auf das Buch hat Heinrich Mann zu dieser Verflechtung aus farbiger Erzählung, politischem Ideal und Nutzanwendung bemerkt: »In Frankreich hatten sie einen Fürsten, er war der Fürst der Armen und Unterdrückten, wie er der Fürst der Denkenden war ... Aus seinen Abenteuern, Taten, Leiden habe ich eine lange Reihe von Bildern und Szenen gemacht, bunt zu lesen und anzusehen. Alle zusammen haben den Sinn, daß das Böse und Furchtbare überwunden

112

werden kann durch Kämpfer, die das Unglück zum Denken erzog, wie auch durch Denkende, die gelernt haben zu reiten und zuzuschlagen.«[48]

Auch wenn das Werk Heinrich Mann noch einmal als großen Schriftsteller zeigte, war es doch zugleich ein halber Widerruf und nicht ohne resignativen Zug: der Abschied von jenem gesellschaftskritischen Zeitroman, dem er sich dreißig Jahre zuvor zugewandt und dem er, wenn er es übersah, einen Teil seines Talents geopfert hatte; am Ende waren es nur wenige Werke, die einigen Bestand versprachen. Nach dem Abschluß des »Henri Quatre« schrieb er denn auch: »Auf Romane aus dieser Zeit lasse ich mich nicht ein ... Was geht einen Schriftsteller der krampfige Unfug dieses Geschlechts noch an. Schon zuviel mit allen Artikeln ...«[49] Wie tief wesensfremd ihm die Frage der Macht und des politischen Interesses war, geht auf mittelbare Weise noch einmal aus dem Romanwerk selbst hervor. Denn obwohl Heinrich Mann ausgedehnte Vorstudien getrieben hatte und der Stoff geradezu darauf drängte, Aufstieg und Herrschaft des »kleinen Königs von Navarra« vor dem weiten Hintergrund eines Kräftespiels weltgebietender Mächte, Rom eingeschlossen, sichtbar zu machen und die historischen, ökonomischen und sozialen Bedingungen mit dem Gang der großen Geschichte sowie eines großen Lebens zu verbinden, ist von alledem kaum oder nur andeutungsweise die Rede; vielmehr stammen Inhalt, Farbe und Kunstglanz des Buches, wieder einmal, von einer »Lebensstimmung«, aus deren diffusem Licht allenfalls die geistigen und religiösen Triebkräfte der Zeit hervortreten, um jene frei an die Geschichte angelehnte Parabel zu tragen, die ihr Autor im Sinne hatte.

Gleichzeitig aber war der »Henri Quatre« auch ein Huldigungswerk: der Roman historischer Größe, in dem der Autor sich nach all den charakterlosen und korrupten Figuren, die sein voraufgegangenes Werk bevölkerten, dieser ewigen Bilderflucht von Heuchlern, Versagern und plebejischen Monstren, endlich der Sehnsucht nach Verehrung ergab. Es war noch einmal eine Phantasie über Geist und Macht, Gedanke und Tat, und wie er bisher immer nur auf Formen der Gemeinheit gestoßen war, so sah er jetzt, zumindest auf seiten seines Herrschers, einzig »Güte«, »Zartsinn«, »Mitgefühl« und dergleichen mehr am Werk. Nicht ohne Irritation jedoch wird man beim Vergleich zwischen dem Roman und den teilweise gleichzeitig entstandenen Aufsätzen Heinrich Manns zum Tage gewahr, daß durch die mit so viel verklärender Wärme gezeichneten Züge des Königs, in einem Akt erstaunlicher Unterschiebung, das Bild Stalins zum Vorschein kommt. Das ganze liebende Vokabelwerk, das der Stilisierung des »bon roi« ins human Große, Menschenfreundliche gilt, kehrt in der Apotheose des so ganz anderen wieder, und am Ende verschwimmt ihm die lebensvolle, noble Gestalt des Königs mit der des maskenhaft finsteren Despoten im Kreml zu einem einzigen Bild. Es wäre wohl der Mühe wert, in einer systematischen Studie die Wortparallelen angesichts der so unterschiedlichen, nur durch ein apolitisches Bewunderungsbedürfnis verbundenen Männer im einzelnen nachzuweisen. Alles, was Stalin äußere, komme aus der »Wärme für die Menschen«, schreibt er einmal, er rühmt dessen »offene Herzlichkeit«, die »Güte«, »das kindliche Lachen« und weiß zu berichten, daß jener nicht die Macht suche, sondern »den Genuß der befriedigten Vernunft, und Geistesfreude ohne Ende«. Die Barbareien des Diktators dagegen werden, wo es nicht anders geht, metaphorisch eingedunkelt: »Den Gipfeln nähert sich nur, wer mit den Abgründen vertraut ist.« Als Heinrich Mann in der gleichen Nummer der »Internationalen Literatur«, die einen Auszug aus dem »Henri Quatre« abdruckt, einen Leitartikel Stalins entdeckt, fühlt er sich im Innersten bewegt und all seine Dichterträume vom Machtanspruch der Intellektuellen beglaubigt; Stalins Gedanken seien »zuversichtlich, gütig und von klarer Geistigkeit«, notiert er.[50] Und unversehens war er nun für jenen Traum auch zu Abstrichen an den großen, beflügelnden Worten von »Menschenliebe«, »Erbarmen« oder »Brüderlichkeit« bereit. Golo Mann hat bei Gelegenheit von einem sozialdemokratischen Politiker namens Seger berichtet, der um diese Zeit, nach längerem KZ-Aufenthalt, als gebrochener Mann nach Paris kam und der Sowjetunion vorwarf, durch die Bekämpfung der Sozialdemokratie der Herrschaft Hitlers vorgearbeitet zu haben. »Mit Seger ist es nichts«, schrieb Heinrich Mann daraufhin, er »beschimpft jetzt die Sowjetunion.« Und mit einer Ironie, die dem Opfer noch das Mitgefühl versagte, setzte er hinzu: »Durch Leiden außer Form gekommen?«[51]

Die Jahre in Frankreich hat Heinrich Mann nicht als Exil empfunden. Aber im Herbst 1940 sah er sich von der immer weiter ausgreifenden Macht Hitlers abermals vertrieben: von Marseille aus flüchtete der nahezu Siebzigjährige, zusammen mit den Werfels, den Feuchtwangers und Golo Mann, auf bedrohlichen Gebirgspfaden, nur einen Rucksack mit ein paar Habseligkeiten bei sich, über die Pyrenäen. Das verhaßte Spanien stellte ihnen bereitwillig Durchreisevisen aus, blieb aber unbedankt. Nach kurzem Aufenthalt floh er weiter nach Portugal und von dort in die Vereinigten Staaten. Vom Schiff aus zurückblickend, notierte er: »Der Blick auf Lissabon zeigte mir den Hafen. Er wird der letzte gewesen sein, wenn Europa zurückbleibt. Er erschien mir unbegreiflich schön. Eine verlorene Geliebte ist nicht schöner. Alles, was mir gegeben war, hatte ich an Europa erlebt, Lust und Schmerz eines seiner Zeitalter, das meines war; aber mehreren anderen, die vor meinem Dasein liegen, bin ich auch verbunden. – Überaus leidvoll war dieser Abschied.«[52]

Erst damit begann die Emigration. In einem Brief schrieb er: »In Amerika kam ich wohl den 13. Okt. 1940 an. Früher nie.« In einem anderen

116

als buchstäblichen Sinne war er auch jetzt nicht angekommen. Das letzte Lebensjahrzehnt war beherrscht von Empfindungen der Fremdheit, des Verlorenseins und des Rückzugs aus der Welt. Seine Herrenhaftigkeit, wohl auch sein Altersstolz, erschwerten ihm die Gesten geselliger Anpassung, die Photographien der letzten Jahre zeigen einen Greis, müde und in eingesunkener Haltung vor dem Schreibtisch oder auf den Stufen seines kalifornischen Hauses hockend, dem Skepsis, Scheu und Bitterkeit das Lächeln gefrieren lassen, um das er sich bemüht. Einem Brieffreund schrieb er: »Hier misse ich nichts, erwarte nichts, habe dafür das träumerische Alter.« [53]

Erinnerungen stiegen herauf, die verwehten Bilder des alten Europa und jener bürgerlichen Welt, die er demaskiert und deren schönen Schein er doch geliebt hatte in all der falschen Herrlichkeit, der Eleganz und Etikette, und mit dem Schimmer des Abschieds, der darüber lag: »Der europäische Geist hatte ... einen glücklichen Augenblick, er war um 1890 und noch einige Jahre nachher.« [54] Doch war es nicht nur Greisenwehmut, die ihn dahin zurückbrachte; vielmehr war dies seine Welt gewesen. Er hat einst beschrieben, wie er, schon als Siebenjähriger, im elterlichen Hause, hinter der Tür des Saales stehend, einem Ball zugesehen hatte, »ratlos ergriffen von dem Glück, dem alle nachtanzten«; und mit Anfang zwanzig hatte er den Plan gefaßt, eine Geldsumme aufzunehmen, die, wie er meinte, der Rente eines dreifachen Millionärs entsprach, nach Paris zu gehen und, unter Anleitung einer »eleganten Frau«, einen Monat lang eine »existence supérieure« zu führen. »Jedes Stück, mit dem ich in Berührung komme, muß soignirt sein«, notierte er. Die Erfahrung sollte ihm »einen Rahmen und einen Vorwand« für die Kenntnis jener haute vie verschaffen, die er als Schriftsteller darzustellen beabsichtigte.[55]

Auch später hat er ein unverlierbar bürgerliches Wesen durch ein gewisses mondänes Kolorit zu korrigieren versucht, einen Hauch von Lebemann, Boulevard und Demimonde. Davon zeugte schon der Frauentypus, mit dem er sich, in allem Wechsel, gleichbleibend umgab, jene üppigen, vielerfahrenen, immer leicht ins Grelle ausschlagenden Erscheinungen, die Thomas Mann mit mildem Spott als »Heinrichsbräute« zu bezeichnen pflegte.[56] Und Golo Mann hat überliefert, wie Heinrich nach dem Ersten Weltkrieg, als der Erfolg des »Untertan« ihm endlich die großen Gelder brachte, von Zeit zu Zeit zusammen mit seiner Frau den Orientexpreß bestieg, um zwischen München und Salzburg in einer Atmosphäre von Internationalität und Eleganz zu dinieren. Einiges spricht dafür, daß seine libertinen ebenso wie seine genießerischen Neigungen ihn, lange vor allen politischen Erwägungen, nach Frankreich gezogen haben. Er liebte die Orte, die, im Nachklang wenigstens, etwas von dem verschwenderisch glitzernden Prunk der Jahrhundertwende bewahrt hatten, Paris, Monte Carlo, Nizza, »ein Fest Tag und Nacht«, schwärmte er, »der ganze Luxus der Erde schien hier versammelt. Nie wieder wird man so prachtvolle Kokotten sehn«:[57] Die Szenerie ist auch der Hintergrund seines letzten, drei Jahre nach der Katastrophe des alten Europa erschienenen Romans, »Der Atem«, der das Ende jener Welt gleichnishaft mit dem Tag einer Sterbenden verknüpft. Der Strudel verschlinge das alles jetzt, schrieb er; »Wir grüßen noch«.

Gelegentlich klagte er über Armut. Aber es war mehr das Gefühl, am Ende eines langen, unabhängigen und gern mit etwas weltmännischem Glanz umgebenen Lebens auf die Großmut anderer angewiesen zu sein. Denn er blieb in Amerika auch literarisch ein Fremder, lediglich »Professor Unrat« und »Der Untertan« fanden einen Verleger. Tantiemen erhielt er kaum noch, eine Zeitlang überwies ihm ein Moskauer Verlag einige Gelder, vor allem aber und regelmäßig half Thomas Mann. Infolgedessen war er auch bereit, dem Drängen Ostberlins nachzugeben, das ihn im Jahre 1949 zum ersten Präsidenten der neu zu gründenden Deutschen Akademie der Künste berufen und eingeladen hatte, in die DDR überzusiedeln. Aber er war voller Zweifel, zögerte den Entschluß ein ums andere Mal hinaus, er fürchtete nicht nur, sich in neue, falsche Abhängigkeiten zu begeben, sondern auch, daß beide Seiten von allzu unterschiedlichen Erwartungen ausgingen. »Die Angelegenheit ... widert mich an«, bemerkte er in einem Brief. [58] Denn er war, in allen seinen Widersprüchen, immer auch ein Bürger geblieben, konservativ und mit sozialem Empfinden. Zwar hatten viele seiner Werke die bewegende Kraft des materiellen Interesses beschrieben, aber die Einsicht war ihm von Balzac viel eher als von Marx gekommen. »Das Geistige erscheint mir als das Primäre«, beharrte er denn auch bis zuletzt, »es hat in der Geschichte den Vortritt.« [59] Thomas Mann, der ihm zugeraten hatte, nach Ostberlin zu gehen, meinte später, es sei zuletzt »immer deutlicher (geworden), daß er nichts mehr wünschte, als in Ruhe gelassen zu werden«. Wenige Wochen bevor er die Überfahrt antreten sollte, am 12. März 1950, starb er über Nacht an einer Gehirnblutung. »Es ist im Grunde eine gnädige Lösung«, schrieb der Bruder. [60]

Empfindungen der Resignation, der menschlichen und geistigen Vereinsamung, sind auch in Heinrich Manns Memoirenbuch »Ein Zeitalter wird besichtigt« eingegangen und haben es als Dokument später Lebensstimmung wichtig gemacht. Die Absicht hingegen, die eigene Biographie mit einem kritischen Porträt der Epoche zu verbinden, ist am Ende doch Absicht geblieben. Nur stellenweise treten Passagen hervor, die ein Erlebnis, ein Sentiment festhalten und in der Ergriffenheit des Wiedererinnerns die einstige Kraft und Beweglichkeit seiner Sprachphantasie mit einer knappen, resümierenden Einfachheit eindrucksvoll verbinden. Vor allem die politischen Betrachtungen jedoch scheinen wie aus großer, unbegriffener Ferne geschrieben, aus der Bewegung des Abgangs schon, als sei der Autor längst über die Grenze hinaus, wo Widersprüche oder Ungereimtheiten nach Auflösung verlangen und, statt zu stören, nur noch das Gefühl stolzer Nachlässigkeit bestärken. Im Grunde war ihm die Welt der Tatsachen immer fremd gewesen, und die Fakten nur Phantasieimpulse, über die er souverän und nach poetischer Manier schaltete. An einer Stelle spricht er, wieder einmal den pathetischen Vermengungen von Literatur und Politik erliegend, vom »Ruhm« der Moskauer Prozesse: »Der große Dialog zwischen dem Staatsanwalt und dem Journalisten Radek: wörtlich könnte er bei Dostojewski stehen.«[61] Selbst wer vergessen wollte, was über die Vorgänge auch damals schon bekannt und zugänglich war, wird den Rückfall in den Ästhetizismus der »Pippo Spano«-Welt, die das Leben zum literarischen Material degradiert hatte, nicht übersehen, und auch nicht, wie er hinter sich ließ, was er über die Politik als Prinzip von Wahrheit, Mitleid und Gerechtigkeit je verkündet hatte.

Stärker als in den dreißiger Jahren, endgültiger auch nach all den zurückliegenden Kämpfen und polemischen Ausschweifungen, brach nun die einfache Sehnsucht nach Verehrung durch; sie sei, meinte er, »eine sittliche Gabe« und befähige »zu unterscheiden, nach unten und oberhalb«.[62] Bismarck, die Haßfigur früherer Jahre, tauchte aus den betrauerten Schatten wieder auf, »mein Bismarck«,

121

wie er, zur Verwirrung vieler, mit vertraulich huldigendem Tonfall vermerkte, es war auch hier wiederum die Literatur, die am Ende alles heilte: »Der Brief an den Vater seiner künftigen Frau, sein Werbebrief, welch ein Manifest menschlicher Schönheit! Man verneigt sich und ist beglückt. Wer das schrieb – wer überhaupt sein klassisches Deutsch schrieb, kann das unbedingt Schlechte niemals weder gewollt noch sich erlaubt haben.«[63] Für die Gegenwart schienen Stalin, Churchill und Roosevelt, ziemlich unterschiedslos, seinen Verehrungsbedürfnissen Genüge zu tun und, umrißweise doch, den Traum vom denkenden Machthaber wahrzumachen. Seine Hoffnung ging auf die Selbsterschöpfung des »irrationalen Zeitalters«, in dem er zu leben gehabt hatte. Er war skeptisch, aber gleichzeitig ungeduldig: »Und es dauert, es dauert –!«, schrieb er.[64]

Denn dieses Zeitalter hatte ihm, wie er es rückblickend sah, den Kampf aufgezwungen. Er hatte viel darüber versäumt. Schon in den Auseinandersetzungen mit dem Bruder war jener der Treibende, zum Konflikt Drängende gewesen, während er den Ausgleich oder doch das Einander-Gelten-Lassen gesucht hatte. Aber hier wie dort war ihm keine Wahl geblieben. »Kampf allein tut es nicht«, schrieb er jetzt, »was bleibt denn von den Kämpfen.« Auf sein von Streit und Polemik erfülltes Werk zurückblickend, wolle er nicht als »Verfasser eines romanhaften Leitartikels«, gemeint war »Der Untertan«, weiterleben, äußerte er einem Briefpartner gegenüber. Und in einer biographischen Skizze aus dem Jahre 1946 ließ er »Die kleine Stadt« sowie »Die Jugend und die Vollendung des Königs Henri Quatre« als »Geschenk des Schicksals« gelten; das übrige erwähnte er nicht. [65]

Offenbar hat er den disparaten Charakter seines Gesamtwerks selber empfunden, der in so auffälligem Widerspruch zu dem kategorischen Ausdruck stand, den er so gern kultivierte. Im Grunde ist er in allen Jahren über die Unsicherheiten des Beginns nie hinweggekommen, er blieb empfänglich für die gegensätzlichsten Einflüsse. Das hat seinen Romanen die häufig experimentelle, die sprachlichen wie technischen Mittel riskant erweiternde Farbe gegeben, gleichzeitig aber auch seinen Rang gemindert. Denn der Begriff der Größe ist mit einem Maß an Stetigkeit verbunden, an unbeirrbarer Steigerung des Werkes wie der Person, über das er nicht gebot. Anders als Thomas Mann hat er sich weder im Persönlichen noch im Literarischen eine »Verfassung« geben können. [66] Möglich ist, daß er durch die Wendung ins Politische eben dies erreichen wollte. Aber vielleicht hat er durch diesen Schritt sein Werk noch disparater als ohnehin schon gemacht und jene Eindeutigkeit, die er suchte, gerade verloren; gewonnen hat er sie jedenfalls nicht.

Nicht anders als Thomas Mann auch, war ihm die Politik immer fremd geblieben, nur daß er sich heftiger, leidenschaftlicher auf sie eingelassen hatte. Sie blieb dennoch unbegriffen, eine ferne Realität, und vielleicht war es am Ende doch die frühe, unverlorene Neigung zum Exotismus, die ihn auf politischem Gelände nach Ersatzbefriedigungen suchen ließ. Bezeichnenderweise enthielten die Romane jener Lebensphase durchweg mehr Kolportage als durchschaute Wirklichkeit, mehr Melodram als erzählerisch bewältigte Erkenntnis, und meist traten die Akteure der Politik, wo immer er sie ins Spiel brachte, so unvermittelt aus den Kulissen wie in der Oper die Tenöre. Im Sommer 1940, verwirrt von der Einsicht, sich so oft getäuscht, so oft die Entwicklungen falsch vorausgesagt zu haben, schrieb er an Thomas Mann, was als eine Art Lebensmotto aller zutiefst unpolitischen Menschen gelten kann: »Nichts zu wissen, ist unser Bestes.« [67] Für seine Fremdheit auf dem Felde, auf das er da geraten war, spricht auch, daß die gesellschaftskritischen Sujets seit 1930, nach so vielen Jahren, einfach abbrechen und so unversehens, wie sie aufgetaucht waren, aus dem Werk wieder verschwinden – ganz als habe er selber erkannt, daß dies alles Umweg, Ausflucht, Irrtum gewesen sei. Zuletzt jedenfalls sieht man ihn, auch hierin wiederum nicht unähnlich dem Bruder, zu den Anfängen zurückkehren; und während jener die alten Vorzugsthemen von Künstler und Bürger, Geist und Außenseitertum wieder aufgreift, sieht Heinrich sich eingeholt von den einstigen, wenn nun auch gelassener exekutierten Avantgardismen der frühen Jahre.

Was ihm im Gegensatz zu Thomas Mann fehlte,

waren Kälte und Geduld. In seinem Essay über Flaubert hat er dessen Gesicht »rot von den Ausschweifungen der Arbeit« und verwüstet von einer Leidenschaft beschrieben, die man wie »einen Ausschlag ... schreiend kratzt«.[68] Aber in seiner Bewunderung war mehr Sehnsucht als Anspruch auf Doppelgängerschaft. Da ihm die Worte leicht wurden, tat er sich schwer damit, den engen Zusammenhang von Mühsal und Kunst zu erfassen. Wiederholt hat Thomas Mann mit mißbilligender Verblüfftheit darauf verwiesen, wie der Bruder ein Werk nach dem anderen »hinlegte«, und die Bemerkung Detlev Spinells aus der »Tristan«-Novelle, ein Schriftsteller sei ein Mensch, dem das Schreiben schwerfalle, war sicherlich ebenso an die Adresse Heinrichs gerichtet wie die Grübeleien aus »Schwere Stunde«, wonach das Talent nichts Leichtes sei, kein bloßes Können, sondern das bis ins Selbstquälerische verstärkte Bewußtsein des Ungenügens gegenüber dem idealen Ausdruck. »Ich habe«, hat Heinrich Mann in seinem Memoirenbuch eingeräumt, »zu oft improvisiert, ich widerstand dem Abenteuer nicht genug, im Leben oder Schreiben, die eins sind«.[69] Auf das Verhältnis zu Thomas bezogen, enthält der Satz nicht nur das Eingeständnis, daß dem Bruder der Vorrang gebühre, sondern auch die Behauptung des eigenen, andersgearteten Wesens.

Zuletzt hatten die Zeit und das gemeinsame Schicksal, wenn nicht die Gegensätze, so doch deren Empfindlichkeiten getilgt, und bald hat Heinrich

auch den Bruder in sein Verehrungsbedürfnis eingeschlossen. Man sehe ihm »die Freude an, mit seinem Bruder beisammen und einig zu sein«, hatte
René Schickele schon in der Zeit des französischen
Exils beobachtet.[70] Jetzt schrieb der Ältere in das
für Thomas bestimmte Widmungsexemplar eines
seiner letzten Bücher: »Meinem großen Bruder ...«
Anders und unnachgiebiger in seinem Kunstrigoris-
mus als Heinrich, hat dieser jedoch, über alle neu
vertieften Empfindungen brüderlicher Gemeinsam-
keit hinweg, an den Unterschieden in der Sache
festgehalten, und dem Werk des anderen auch in
diesen Jahren kaum etwas abgewinnen können.
Heinrich habe »aus neuen Merkwürdigkeiten« ge-
lesen, heißt es einmal nach einem Besuch des Bruders.[71]

Eine Art Schlußwort, noch einmal die tieferen,
über alle politischen Gegensätze hinausgreifenden
Ursachen ihres Konflikts beschreibend, zugleich aber
auch die Versöhnung beschwörend, hat Heinrich
gesprochen. In dem Roman »Der Atem«, der 1949,
wenige Monate vor seinem Tod erschien, übertrug
er das Bruderproblem auf zwei Schwestern, von
denen die ältere im Augenblick des Sterbens der
jüngeren, erfolgreichen bekennt, was auch ihn selber von Thomas entzweit und schließlich für immer
entfremdet hat: »Hasse mich nicht, weil ich lebte
oder weil ich sterbe. Ich weiß, du haßtest mich nur
mit Selbstverleugnung, wir waren doch Schwestern ... Uns trennte, daß ich nicht deinen Ehrgeiz

126

hatte; deine Laufbahn war voll Kampf, in allen Wechselfällen hieltest du dich oben, dir erschien ich lau. Dennoch verstand nur ich dich. Nur dein Urteil traf mich. Wir kränkten uns mit unserer Unabänderlichkeit, gleichwohl habe ich dich geliebt, am meisten, wenn wir verfeindet waren. Du weißt es. Weißt du es nicht? ... Dich verstimmte, daß ich den Wettbewerb ausschlug, anstatt trotz Widerstand besiegt zu werden...«

Dann folgt eine letzte Geste grüßender Bewunderung: »Sogleich werde ich vergangen sein, du allein bist meine Nachwelt, bei der ich fortlebe.«[72]

Anmerkungen

ANMERKUNGEN ZUM VORWORT

1 Thomas Mann, »Briefe«, hrsg. von Erika Mann, Frankfurt am Main 1961, Bd. I, S. 160 (18. April 1919)

2 Thomas Mann – Heinrich Mann, »Briefwechsel 1900–1949«, hrsg. von Hans Wysling. Erweiterte Neuausgabe, Frankfurt am Main 1984, im folgenden zitiert als Briefwechsel, S. 34 (5. Dezember 1903)

3 aaO., S. 135 (nicht abgeschickter Brief vom 30. Dezember 1917)

4 Thomas Mann, »Briefe an Otto Grautoff und Ida Boy-Ed«, hrsg. von Peter de Mendelssohn, Frankfurt am Main 1975, S. 184 (11. März 1917)

5 Briefwechsel, S. 137 f. (3. Januar 1918)

6 aaO., S. 140 (5. Januar 1918)

7 Vgl. Marcel Reich-Ranicki, »Der König und der Gegenkönig. Aus Anlaß der erweiterten Neuausgabe des Briefwechsels zwischen Thomas und Heinrich Mann« in »Frankfurter Allgemeine Zeitung«, 2. April 1985

8 Golo Mann, »Der Bruder zur Linken. Zur Neuauflage von Heinrich Manns ›Ein Zeitalter wird besichtigt‹ « in »Frankfurter Allgemeine Zeitung«, 21. September 1974

9 »Der Bajazzo«, Gesammelte Werke in 13 Bänden, Frankfurt am Main 1960–1979, Bd. VIII, S. 106

10 Heinrich Mann, »Ein Zeitalter wird besichtigt«, Berlin 1947, im folgenden zitiert als »Zeitalter«, S. 253 ff.

1 Das Motto aus Shakespeares »Hamlet« ist eines der Lieblingszitate Thomas Manns und von ihm des öfteren sowohl in Kennzeichnung der eigenen Person als auch als eine Art Lebensmaxime verwendet worden. In einem Brief vom Juli 1954 zitiert er die Stelle mit dem Bemerken, sie sei ihm »in der Anwendung auf mich selbst keineswegs fremd«.

2 H. Mann, »Mein Bruder« in »Neue Rundschau« 1945, Juni-Heft

3 Kurt Sontheimer, »Thomas Mann und die Deutschen«, München 1961, S. 67

4 Th. Mann, Briefe II, S. 300 ff. (19. Febr. 1943); Briefe III, S. 248 (13. März 1952)

5 Th. Mann, GW XII, S. 11

6 Th. Mann, Briefe I, S. 201 (5. Dez. 1922). Das zuvor angeführte Zitat stammt aus dem Vorwort zur gedruckten Fassung der Rede »Von deutscher Republik«, vgl. GW XI, S. 810

7 Th. Mann, Briefe I, S. 398 (1. Sept. 1935)

8 Briefwechsel, S. 141 (5. Januar 1918)

9 Th. Mann, »Betrachtungen«, S. 130

10 GW II, S. 64

11 GW XI, S. 569

12 Briefe I, S. 389 f. (23. Mai 1935)

13 aaO., S. 238 (23. April 1925)

14 Th. Mann, »Die Entstehung des Doktor Faustus«, GW XI, S. 181 (im folgenden zitiert als »Entstehung«)

15 GW III, S. 82; ferner GW VIII, S. 79

16 GW III, S. 469

17 aaO., S. 744

18 Th. Mann, »Adel des Geistes«, S. 225; die zuvor angeführten Zitate finden sich, in der erwähnten Reihenfolge, in GW VIII, S. 377; IX, S. 656; IX, S. 658

19 H. Mann, »Zeitalter«, S. 235

20 GW VIII, S. 294

21 Briefe I, S. 79 (11. Januar 1910)

22 Marcel Reich-Ranicki, aaO.

23 P. de Mendelssohn, aaO., S. 141

24 GW VIII, S. 133 f. und S. 125. Das folgende Zitat ebd.
   S. 106

25 Brief an Paul Amann (27. August 1917), zit. nach
   »Dichter über ihre Dichtungen. Thomas Mann«,
   hrsg. von Hans Wysling, München 1975, Bd. I, S. 652

26 GW VIII, S. 295 f.

27 Briefwechsel, S. 48 (27. Februar 1904); die zuvor erwähnte Bemerkung ebd., S. 127 (8. November 1913)

28 Briefe III, S. 297 (28. Juni 1953)

29 GW XII, S. 279; die zuvor erwähnte Bemerkung ebd.,
   S. 30

30 Briefwechsel, S. 58 (18. Februar 1905)

31 H. Mann, »Der Kopf«, zit. nach H. Wysling, Einführung zum Briefwechsel, S. LVI

32 Zit. nach Briefwechsel, S. 395 (6. April 1921)

33 So eine der Attacken aus dem »Zola«-Essay, die, neben anderen, in der Neuausgabe von 1931 getilgt
   wurden

34 Zit. nach Briefwechsel, S. IL (15. Januar 1916)

35 GW XII, S. 340 und GW XI, S. 313

36 aaO., S. 376

37 Th. Mann, »Tagebücher 1918–1921«, hrsg. von P. de
   Mendelssohn, Frankfurt am Main 1979, S. 16 (28. Sept.
   1918)

38 aaO., S. 110 f. (18. Dezember 1918)

39 aaO., in der angeführten Reihenfolge: S. 35 (15. Okt.
   1918), S. 45 (25. Okt. 1918), S. 132 (11. Januar 1919),
   S. 46 (26. Okt. 1918) und S. 265 (15. Juni 1919)

40 aaO., S. 555 (20. November 1921); ferner ebd., S. 226
   (4. Mai 1919) sowie S. 212 f. (2. Mai 1919)

41 Peter Gay, »Weimar Culture: The outsider as in-
   sider«, New York, 1968, S. 74

42 Briefwechsel, S. 142 (31. Januar 1922)

43 Briefe I, S. 197 (2. Feb. 1922). In diesem Brief berichtet Thomas Mann auch über die im Text erwähnte
Reaktion Heinrichs

44 GW XIII, S. 174

45 GW III, S. 582; auch S. 138f.

46 Th. Mann, »Meine Zeit«, S. 316; zur folgenden Bemerkung über Settembrini vgl. Briefe II, S. 207f.
(19. Sept. 1941)

47 Vgl. »Dichter über ihre Dichtungen«, Bd. I, S. 509

48 aaO., Bd. I, S. 525

49 Briefe II, S. 9ff. (1. Januar 1937)

50 GW XI, S. 253f.

51 Zit. nach »Dichter über ihre Dichtungen«, Bd. II,
S. 615

52 Briefe I, S. 357 (2. April 1934)

53 aaO., III, S. 248 (13. März 1952)

54 Th. Mann, »Zu Wagners Verteidigung. Brief an den
Herausgeber des ›Common Sense‹«, vgl. GW XIII,
S. 351ff., insbes. S. 356 und 359

55 Zit. nach »Dichter über ihre Dichtungen«, Bd. II,
S. 553

56 GW XII, S. 850

57 GW XI, S. 1146

58 H. Mann in »Literarische Welt«, 4. Nov. 1927

59 GW II, S. 86

60 Entstehung, GW XI, S. 203f. Die vorerwähnte Brief-
stelle findet sich in einem Schreiben an Erich v. Kah-
ler, vgl. Briefe II, S. 397 (20. Okt. 1944)

61 Th. Mann, »Betrachtungen«, Ausgabe von 1956,
S. X

62 GW XI, S. 819

63 Entstehung, GW XI, S. 253f.

64 Vgl. Erich Heller, »Thomas Mann. Der ironische
Deutsche«, Frankfurt am Main 1959, S. 178

65 GW IX, S. 740

1 Heinrich Mann, »Zeitalter«, S. 305
2 So Jean Améry in »Frankfurter Rundschau« vom 15. März 1975; von »verhinderter Öffentlichkeit« spricht Hugo Dittberner in »Heinrich Mann. Eine kritische Einführung in die Forschung«, Frankfurt 1974, S. 9
3 An Karl Lemke (2. Juli 1949), zit. nach »Heinrich Mann. Briefe an Karl Lemke und Klaus Pinkus«, Hamburg o.J., S. 109
4 Gottfried Benn, »Gesammelte Werke in vier Bänden«, Wiesbaden 1959, Bd. I, S. 138
5 Autobiographie von 1911, abgedr. in »Heinrich Mann 1871–1950. Werk und Leben in Dokumenten und Bildern«, hrsg. von der Deutschen Akademie der Künste zu Berlin, Berlin und Weimar 1971 (im folgenden zit. als »Dokumente«), S. 465.
In ähnlichem Sinne schreibt H. Mann in einer autobiographischen Notiz von 1946: »Nach kleinen Vorübungen begann Heinrich Mann seine wirkliche Tätigkeit um 1900, mit gegen dreißig Jahren«; aaO., S. 546
6 Vgl. Peter de Mendelssohn, »Der Zauberer. Das Leben des deutschen Schriftstellers Thomas Mann«, Frankfurt 1975, S. 214; ferner Klaus Schröter, »Heinrich Mann in Selbstzeugnissen und Bilddokumenten«, Reinbek 1967 (Rowohlt-Monographien Bd. 125), S. 34 ff.
7 »Dokumente«, S. 50
8 So an Karl Lemke (29. Januar 1947), aaO., S. 44
9 H. Mann, »Sieben Jahre. Chronik der Gedanken und Vorgänge«, Berlin 1929, S. 267: »Mit fünfundzwanzig Jahren sagte ich mir: Es ist notwendig, soziale Zeitromane zu schreiben. Die deutsche Gesellschaft kennt sich selbst nicht. Sie zerfällt in Schichten, die

einander unbekannt sind, und die führende Klasse verschwimmt hinter Wolken.«

10 H. Mann, »Ausgewählte Werke in Einzelausgaben, Band XI. Essays«. Berlin 1954 (im folgenden zit. als »Essays«), Bd. I, S. 106

11 Th. Mann, »Betrachtungen eines Unpolitischen«, Frankfurt 1956, S. 532

12 »Dokumente«, S. 88

13 H. Mann, »Essays«, Bd. I, S. 105 ff

14 Brief an Albert Langen (24. Febr. 1901), zit. nach »Dokumente«, S. 84

15 Th. Mann, »Betrachtungen«, S. 535 ff; vgl. dazu auch Walther Rehm, »Der Renaissancekult um 1900 und seine Überwindung« in »Zeitschrift für deutsche Philologie«, Jhg. 1929, S. 296 ff

16 aaO., S. 531

17 Vgl. Briefwechsel, S. 28 ff. (5. Dezember 1903). Im Anschluß dort auch der Antwort-Entwurf Heinrich Manns.

18 aaO., S. 346 f

19 H. Mann, »Briefe an Ludwig Ewers, 1889–1913«, Berlin und Weimar 1980, S. 394 (6. April 1921)

20 Th. Mann, »Betrachtungen«, S. 531

21 Vgl. »Thomas Mann. Briefe an Otto Grautoff und Ida Boy-Ed«, Frankfurt 1975; die erwähnten Bemerkungen stammen aus einem Brief an Ida Boy-Ed (19. August 1904), S. 150

22 Briefwechsel, S. 140 (nicht abgeschickter Brief vom 5. Januar 1918)

23 H. Mann, »Essays«, Bd. I, S. 16 f

24 An Ludwig Ewers, aaO., S. 422 (31. Oktober 1906)

25 Vgl. Briefwechsel, S. XXXIII f

26 Vgl. »Kurt Wolff. Briefwechsel eines Verlegers 1911–1963«, Frankfurt 1966, S. 270 f

27 An Klaus Pinkus, (11. Febr. 1938), aaO., S. 133; zur Bemerkung von Th. Mann vgl. Briefwechsel, S. 404

28 Zit. nach K. Schröter, aaO., S. 68

29 Autobiographie von 1946, zit. nach »Dokumente«, S. 546

30 Autobiographische Skizze von 1904, aaO., S. 76

31 Vgl. Kurt Tucholsky, »Ausgewählte Briefe 1913–1935«, Hamburg 1962, S. 458 (9. Aug. 1923); zur Bemerkung von René Schickele vgl. dessen Tagebücher, die eine Fülle aufschlußreicher Beobachtungen über H. Mann enthalten; abgedr. in René Schickele, »Werke in drei Bänden«, Köln 1959, Bd. III, S. 1052 (Eintr. vom 4. Aug. 1933)

32 Aus dem Notizbuch um 1906/07: zit. nach »Dokumente«, S. 114

33 Brief an Karl Lemke (29. Januar 1947) aaO., S. 46; zur Bemerkung von Th. Mann vgl. Briefwechsel, S. 101, ferner auch »Dokumente«, S. 112 ff

34 Zit. nach K. Schröter, aaO., S. 90

35 »Zeitalter«, S. 400

36 H. Mann, »Essays«, Bd. II, S. 63

37 Zit. nach »Dokumente«, S. 211 ff; der offene Brief an Stresemann ist abgedr. in »Sieben Jahre«, S. 153 ff

38 So in der Besprechung von H. Manns Roman »Die große Sache«, abgedr. in Briefwechsel, S. 403 ff, insbes. S. 406 f

39 H. Mann, »Sieben Jahre«. S. 139; vgl. auch ebd. S. 96; ferner ders., »Zeitalter«, S. 339

40 H. Mann, »Sieben Jahre«, S. 174

41 H. Mann, »Zeitalter«, S. 53

42 H. Mann, »Essays«, Bd. II, S. 54

43 aaO., Bd. I, S. 264

44 Zit. nach K. Schröter, aaO., S. 116

45 So in »Die Zeit« vom 25. März 1960

46 R. Schickele, aaO., S. 1071 f

47 Vgl. Briefwechsel, S. 222 (3. Okt. 1935)

48 Aus: »Ein denkwürdiger Sommer«, zit. nach »Dokumente«, S. 259

49 So an K. Pinkus, aaO., S. 137 (30. Nov. 1938)
50 Alle Zitate aus »Neue Weltbühne, 1935, S. 1344, 1341
51 Golo Mann, »Der Bruder zur Linken«, in »Frankfurter Allgemeine Zeitung«, 21. Sept. 1974
52 H. Mann, »Zeitalter«, S. 481
53 An K. Lemke, aaO., S. 83 (26. Okt. 1948) Zum zuvor erwähnten Zitat über die Ankunft in Amerika vgl. »Frankfurter Allgemeine Zeitung«, 29. März 1958: »Ein Ausweg : Der europäische Völkerbund«, Briefe Heinrich Manns aus der Emigration. Mitgeteilt von Alfred Kantorowicz (Brief vom 3. März 1943)
54 So schon im Jahre 1923, vgl. H. Mann, »Sieben Jahre«, S. 101
55 »Mein Plan«, 11. November 1893; abgedr. in »Dokumente«, S. 55ff
56 Mündliche Mitteilung von Katja Mann gegenüber dem Verfasser
57 R. Schickele, aaO., S. 1093 (Eintr. 22. April 1934). Zum folgenden Zitat s. H. Mann, »Zeitalter«, S. 247
58 An K. Pinkus, aaO., S. 167 (und 195); 1. Okt. 1949)
59 H. Mann, »Zeitalter«, S. 207
60 Zit. nach Eva Lips, »Zwischen Lehrstuhl und Indianerzelt«, Berlin 1965, S. 150f; ferner Th. Mann, GW, S. 521
61 H. Mann, »Zeitalter«, S. 120
62 aaO., S. 193
63 aaO., S. 280
64 aaO., S. 205
65 Vgl. »Dokumente«, S. 551, ferner H. Mann, »Zeitalter«, S. 260. Der erwähnte Brief bei K. Lemke, S. 91 (10. Dez. 1948)
66 Vgl. Briefwechsel, S. 68 (17. Januar 1906)
67 aaO., S. 283 (23. Juli 1940)
68 H. Mann, »Essays«, Bd. I, S. 89f
69 H. Mann, »Zeitalter«, S. 197; den Hinweis auf die »Tristan«-Novelle und »Schwere Stunde« verdanke

ich der Einführung von H. Wysling zu Briefwechsel, S. XXXVf

70 R. Schickele, aaO., S. 1052 (Eintr. 4. August 1933)

71 Vgl. GW, Bd. XI, S. 477

72 H. Mann, »Der Atem«, Hamburg 1958, S. 806; vgl. auch ebd. S. 826

Die beiden hier vereinigten Arbeiten gehen auf zwei essayistische Skizzen zurück, die vor Jahren an anderem Ort veröffentlicht wurden. Das Stück über Thomas Mann findet sich in dem bei der Deutschen Verlagsanstalt, Stuttgart, erschienenen Buch »Aufgehobene Vergangenheit«, das über Heinrich Mann in dem bei Athenäum veröffentlichten Sammelband »Literarische Profile. Deutsche Dichter von Grimmelshausen bis Brecht«. Die Studien sind im einen wie im anderen Falle durchgesehen und zum Teil nicht unerheblich erweitert worden.

JOACHIM FEST

wurde am 8. Dezember 1926 in Berlin geboren.
Anfang der vierziger Jahre kam er nach Freiburg
im Breisgau, machte als Soldat noch die Schluß-
phase des Krieges mit und studierte anschließend
in Freiburg, Frankfurt am Main und Berlin Jura,
Geschichte, Soziologie, Germanistik und Kunstge-
schichte. Seit dieser Zeit war er als Mitarbeiter
bei Zeitungen und Rundfunkanstalten tätig. 1963
wurde er Chefredakteur des Fernsehens beim Nord-
deutschen Rundfunk und veröffentlichte im gleichen
Jahr eine Studie über die Führungsfiguren der NS-
Herrschaft (»Das Gesicht des Dritten Reiches«).
Von Anfang 1965 bis Ende 1966 leitete er daneben
das Fernseh-Magazin »Panorama«. Einige Zeit später schied er aus dem Fernsehen aus, um eine Hitler-
Biographie zu schreiben, die im Herbst 1973 erschienen ist. Sie wurde inzwischen in fünfzehn Spra-
chen übersetzt. Am 1. Dezember 1973 trat er als
Herausgeber in die »Frankfurter Allgemeine Zei-
tung« ein. Die Universität Stuttgart verlieh ihm im
Sommer 1981 in Anerkennung seiner Verdienste auf
dem Gebiet der Geschichtsschreibung die Ehrendok-
torwürde. Im gleichen Jahr veröffentlichte er eine
Essay-Sammlung unter dem Titel »Aufgehobene
Vergangenheit« und erhielt am Ende des Jahres den
Thomas-Mann-Preis 1981 der Hansestadt Lübeck.
Senator der Max-Planck-Gesellschaft.

CIP-Kurztitelaufnahme der Deutschen Bibliothek
Fest, Joachim C.: Die unwissenden Magier: Über Thomas u.
Heinrich Mann / Joachim Fest. – Berlin : Siedler, 1985.
(Corso bei Siedler). ISBN 3-88680-160-8